ANDREAS GRYPHIUS

Leo Armenius

TRAUERSPIEL

HERAUSGEGEBEN VON
PETER RUSTERHOLZ

PHILIPP RECLAM JUN. STUTTGART

Der Titel der als Druckvorlage dienenden Ausgabe von 1650 lautet eigentlich: *Ein Fůrsten-Mőrderisches Trawer-Spiel / genant. Leo Armenius.* (Vgl. »Zur Textgestalt« S. 111.) Die Ausgabe von 1652 ist betitelt: *Leo Armenius / oder Jåmmerlichen Fůrsten-Mords Trauer-Spiel.* Die folgenden Ausgaben, ab 1657, führen die prägnanteste Form des Doppeltitels: *Leo Armenius / Oder Fůrsten-Mord.* – Zu Bedeutung, Tradition und Funktion des Doppeltitels vgl. Albrecht Schöne, *Emblematik und Drama im Zeitalter des Barock*, München 1964, S. 188–196.

Universal-Bibliothek Nr. 7960

Gesamtherstellung: Reclam, Ditzingen. Printed in Germany 1992

ISBN 3-15-007960-8

[jv] GVILIELMO SCHLEGELIO

Hereditario in Castayn & Mohringen

Domino & Amico
Colendo.

S. P. 5

Dirae fvrores noctis, et sacrvm nefas
Rventis avlae sceptra; calcato Dvce
Pollvta raptv, Caesaris undanti effera
Animata TAbo Busta, Regnorum lvem;
Tu, qvem severis Arbitrum cvris legit, 10
Princeps Deorum cura terrarum tremor,
Dignare vultu, quo soles vultus tui.
Mentemque GryphI nulla sic faustam tibi
Caligo lucem turbet, et fictos gemas
Tantum furores noctis ac scenae nefas. 15

Argentorati. prid. Kalend.
Novemb. Greg.
Anni mdcxlvi.

A. GRYPHIVS.

5 *S. P.:* salutem plurimam (dicit)

[ij^{r}] Großgůnstiger Leser.

INdem vnser gantzes Vatterland sich nuhmehr in seine eigene Aschen verscharret / vnd in einen Schawplatz der Eitelkeit verwandelt; bin ich geflissen dir die vergånglichkeit menschlicher sachen in gegenwertigem / vnd etlich folgenden Trawerspielen vorzustellen. Nicht zwar / weil ich nicht etwas anders vnd dir vielleicht angenehmers vnter hånden habe: sondern weil mir noch dieses mal etwas anders vorzubringen so wenig geliebet / alß erlaubet. Die Alten gleichwohl haben diese art zu schreiben nicht so gar geringe gehalten / sondern alß ein bequemes mittel menschliche Gemůtter von allerhand vnartigen vnd schådlichen Neigungen zu såubern / gerůhmet; wie zu erweisen vnschwer fallen solte / wenn nicht andere vor mir solches weitlåuftig dargethan / vnd ich nicht Eckel trůge / dieses zu entdecken / was Niemand verborgen. Viel weniger bin ich gesonnen mit pråchtigen vnd vmbschweiffenden Vorreden dieses zu růhmen / was frembdem Vrtheil nuhmmehr vntergeben wird. Bőse Bůcher werden durch kein Lob gebessert / vnd angeborne Schőnheit bedarff keiner schmincke. Gleichwol muß ich nur erinnern daß / [ij^{v}] wie vnser Leo ein Griechischer Keyser / also auch viel seinem Leser auffweisen wird / was bey jetzt regierenden Fůrsten / theils nicht gelobet / theils nicht gestattet wird. Den gantzen verlauff seines vntergangs erklåren vmbståndlich Cedrenus vnd Zonaras, Welche nicht nur von seinem Tode schier mit einer Feder schreiben / sondern auch so eigenlich alles entwerffen / daß nicht von nőthen gewesen viel andere erfindungen einzumischen.

Was man in selbigen őrtern auff Tråume / Gesichter / frembde Bilder / vnd derogleichen gehalten / weisen alle dieser Vőlcker geschichten auß. Ja mir selbst ist noch vor wenig Jahren ein zimblich Buch voll frembder Gemålde zukommen / auß

17 f. C frembden Vrtheilen
24 f. *Cedrenus vnd Zonaras:* siehe Nachwort S. 130 f.

welchem etliche denen das Gehirne mit erforschung zukünfftiger dinge schwanger / nicht wenig (jrer einbildung nach) von widereröberung der vorhin herrlichen / nuhmehr (leider!) dienenden Statt / dem vntergang deß Türcken / Einigkeit der Christen in glaubens sachen vnd allgemeinen bekehrung der Juden gelernet / darff derowegen Niemand für gantz eitel halten / was gedachte Zonaras vnd Cedrenus vnd wir auß jhnen von etwa dergleichen Buch erwehnen. Auch ist so vnerhört nicht durch vorwendung geheimer Offenbarungen / Auffruhr vnd Krieg stifften Königreich vnd Zepter an sich reissen / ja gantze Länder mit Blutt alß einer newen Sünflut überschwemmen. Nicht nur Europa, gantz Asien vnd Africa werden für ein beyspiel dieser warheit wol hundert geben / vnd in der Newen Welt ist diese Pest so wenig / alß bey vns newe vnter dem schein deß Gottes dienstes / (wie Michael vnd seine Bundgenossen) vngehewre Mord vnd Bubenstück ins werck zu richten. Daß der sterbende Keyser / bey vor Augen schwebender todes gefahr ein Creutz ergriffen ist vnlaugbar: daß es aber eben dasselbe gewesen / an welchem vnser Erlöser sich geopffert / saget der Geschichtschreiber nicht / ja vielmehr wenn man seine Wort ansiehet / das widerspiel; gleichwol aber / weil damals die übrigen stücker deß grossen Söhn-Altares oder (wie die Griechen reden) die heiligen Höltzer / zu Constantinopel verwahret worden: haben wir der Dichtkunst / an selbige sich zu machen / nach gegeben / die sonsten auff diesem Schawplatz jhr wenig freyheit nehmen dürffen. Die jenigen welche in diese Ketzerey gerathen / alß könte kein Trawerspiel sonder Liebe vnnd Bulerey volkommen seyn: werden hierbey erinnert / daß wir diese / den Alten vnbekante Meynung noch nicht zu glauben gesonnen / vnd desselben Werck schlechten ruhmbs würdig achten / welcher vnlängst einen heiligen Märterer zu dem Kampff geführet / vnd demselben wider den grund der warheit eine Ehefraw zu geordnet / welche schier mehr mit jhrem

59 ff. Anspielung auf Pierre Corneilles »Polyeucte«.

Bulen / als der Gefangene mit dem Richter zuthun findet / vnd durch mitwůrckung jhres Vattern eher Braut als Wittbe wird. Doch vmb daß wir derselben gunst nicht gantz verlieren: versichern wir sie hiermit / daß auffs eheste vnser Xa Abas in der bewehreten beståndigkeit der Catherine [iij^v] von Georgien reichlich einbringen sol / was dem Leo nicht anstehen können. Welcher da er nicht von dem Sophocles oder dem Seneca auffgesetzet / doch vnser ist. Ein ander mag von der Außlånder Erfindungen den Nahmen wegreissen vnd den seinen darvor machen: Wir schliessen mit denen Worten / die jener weitberůhmbte vnd lobwůrdigste Welsche Poet vber seinen vördergiebel geschrieben:

Das Hauß ist zwar nicht groß: doch kennt es mich allein:
Es kostet frembde nichts: es ist nur rein vnd mein.

70 f. C Chach
76 C darvor setzen

[iiij^{r}]

Inhalt deß Trawerspiels.

MIchael Balbus Keyser Leonis Armeni Oberster Feldhauptman / nach dem Er zu vnterschiedenen malen wegen seiner Vntrew vnd verleumbdungen angeklaget / verschweret sich wider den Keyser / welcher jhn durch Exabolium seinen geheymesten Rath offt von seiner Leichtfertigkeit abzustehen ermahnet. Weil aber Michael auf seinem Vorsatz verharret / wird er vnversehens gefangen vnd von dem Rath / in welchem der Keyser selbst Klåger vnd Richter / zu dem Fewer verdammet. Indem er aber zu dem Holtzstoß gefůhret wird / verscheubt der Keyser / auff hefftiges anhalten seiner Gemahlin Theodosia, die Straffe biß nach dem Fest. In dessen sucht Michael alle mittel sich zu retten / vnd weil der Keyser durch furcht vnd verwegenheit gereitzet / selbst / zu Nacht den Kercker besuchet / vnd jhn in Purpur schlaffend findet: drewet Michael / nach dem jhm solches durch einen Wåchter (welcher den Keyser auß den gestůckten Schuen erkennet) zu wissen gethan / in hôchster verzweifelung den mitverschwornen / daß Er sie / dafern jhm nicht alßbald geholffen wůrde / entdecken wolle. Diese aber gelangen durch eine sondere list in die Burg / vnd erwůrgen den Keyser jåmmerlich vor dem Altar / In dem DCCCXX. Jahre nach vnsers Erlôsers Geburt / dem VII. aber vnd V. Monat seiner Regierung / wie kurtz zuvor Tarasii Geist in einem Gesichte verkůndiget. Die Historie erzehlen weitleufftiger Cedrenus vnd Zonaras in jhrem Leone vnd Michaël Balbo.

Das Trawerspiel beginnet den Mittag vor dem heiligen Christtage; wehret durch die Nacht / vnd endtet sich vor aufgang der Sonnen.

Der Schawplatz ist Constantinopel / vnd Vornemblich die Keyserliche Burg.

[iiij^{v}] Personen deß Trawerspiels.

LEo Armenius Keyser von Constantinopel.
Theodosia Keyserlichs Gemahl.
Michael Balbus Oberster Feldhauptman.
Exabolius Deß Keysers geheimester. 5
Nicander Hauptman uͤber die Leibwache.
Phronesis Auffseherin vber das Keyserliche Frawenzimmer.
Tarasius Geist deß Patriarchen von Constantinopel.
Die Richter.
Die Zusammen Geschwornen vnder welchen der von Crambe. 10
Papias.
Die Trabanten.
Der Oberste Priester.
Ein Botte.
Jamblichus Ein Zauberer. 15
Ein Diener dessen von Crambe.
Der Hoͤllische Geist.
Ein Waͤchter.
Ein Trommeten Blaͤser.
Die Reyen der Hofe Leute / Jungfrawen / vnd Priester. 20

Stumme Personen.

Der Keyserin Kammer Jungfrawen.
Deß Keysers Leibdiener.
Die Nachrichter.
Ein Knabe welcher dem Zauberer auffwartet. 25
Ein Gespenste in gestalt Michaels / welches nebenst Tarasii Geist dem Keyser erscheinet.

[1] LEO ARMENIVS

Trawrspiel /

Die Erste Abhandelung

Erster Eingang

Michael Balbus / der von Crambe / die zusammen geschworne.

Mich.: DAs Blut / das jhr umbsonst fůr Thron vnd Cron gewagt /
Die Wunden / die jhr schier auff allen gliedern tragt /
Der vnbelohnte dienst / das sorgenvolle Leben /
Das jhr můß't tag fůr tag in die rappuse geben /
Deß Fůrsten grimmer Sinn / die zwytracht in dem Stat / 5
Die zäncksucht in der Kirch' / vnd vntrew' in dem Rath /
Die Vnruh' auf der Burg / O Blumen aller Helden!
Bestreitten meine Seel / vnd zwingen mich zu melden
Was nicht zu schweigen ist! Wer sind wir? sind wir die?
Vor den der Barbar offt gesuncken auf die Knie; 10
Vor den sich Saracen vnd Pers vnd der entsetzet
Der wenn er fleucht vielmehr / alß wenn er steht verletzet?
Wer sind wir? sind wir die? die offt in staub vnd noth
Voll blut voll muth vnd geist / gepocht den grimmen Todt?
Die mit der Feinde fleisch das grosse land bedecket / 15
Vnd Sidas vmbgekehrt / vnd in den brandt gestecket
Was vnß die Waffen bott? vnd schlaffen jetzund eyn /
Nun jeder ůber vnß schier wil Tyranne seyn?

4 *rappuse:* aus tschechisch rabuše, serbisch rabosch: Kerbholz. Im 16. Jh. ostmdt. Wendung ›yn die rappuse geben‹, dem Raub, der Plünderung preisgeben; siehe Lutherbibel Jer. 15,13 oder Luther, Weimarer Ausgabe (*WA* 32,82,33;1530).

16 *Sidas:* Hauptstadt der konstantinischen Provinz Pamphilien (Kleinasien).

[2] Ihr Helden / wacht doch auff! kan ewre Faust gestehen /
Daß Reich vnd Land vnd Statt / so wil zu grunde gehen?
Weil Leo sich in blut der Vnterthanen wäscht
Vnd seinen geldtdurst stets mit vnsern gütern lescht.
Was ist der hof nunmehr als eine Mördergruben?
Als ein Verräther platz? ein Wohnhauß schlimmer Buben.
Wer artig pflaumen streicht / vnd leugt so viel er kan
Den zeucht man Fürsten vor: ein vnverzagter Man
Der ein gerüstet Heer offt in die flucht geschlagen /
Steht vnerkånt / vnd schmacht! Was nutzt diß weiche klagen?
Nichts! wo ein Weiberhertz in ewrem busen steckt!
Viel; wo ein Helden muth / den keine furcht erschreckt!
Wer zaghafft: hat von mir zu wenig angehöret /
Ein Held; nur mehr denn viel / doch hat ein Weib verstöret
Nicht vnlängst wie euch kundt / die Kayserliche Macht /
Die Mutter hat jhr Kind vom Stul in Kärcker bracht /
Da es in höchster quaal das Leben mußte schliessen /
Als jhm der Augen paar ward grimmig außgerissen.
Diß that ein schwacher Arm. Was rühmen wir vns viel.
Iren' ist preisens werth. C r a m b. Es rühme wer da wil!
Schaw Held! hier ist ein Schwerdt / vnd diese Faust kan stechen /
Vnd schneiden / wenn es noth / vnd Printzen Köpfe brechen.
Was ist ein Printz? ein Mensch! vnd ich so gut als er!
Ja besser! wann nicht ich / wenn nicht mein degen wer /
Wo bliebe seine Cron? die liechten Diamanten /
Das purpur guldne Kleidt / die Schaaren der Trabanten /
Der Zepter tockenwerck / ist eine leere pracht.
Ein vnverzagter Arm ists / der den Fürsten macht /
Vnd wo es noth / entsetzt: I. v e r s c h w. O Richter aller sachen!

25 *pflaumen streicht:* schmeichelt.
38 *Iren':* die byzantinische Kaiserin Eirene. Sie herrschte von 797 bis 802, nachdem sie ihren Sohn geblendet und von der Herrschaft verdrängt hatte.
45 *tockenwerk:* Puppenwerk.

Muß endlich deine Rach aus jhrem traum erwachen!
So ists! sie tagt vnß aus wenn mans am minsten denckt!
Wer ist / dem nicht bewust / was meine Seele kråndkt / 50
Vnd Hertz vnd Leber nagt! das redliche Gemůte /
Der mehr denn fromme Fůrst / das Bild der linden gůte.
Der trawte Michael / must alß der Lôw entbrant
Vnd jhn mit grimmer list vnd toller macht anrant /
Ablegen Stab vnd Cron. Er ließ den Purpur fahren / 55
[3] Vnd kiest ein hårin Kleid / in meinung bey Altaren
Den Rest der kurtzen zeit zu liefern seinem Gott!
Nein! Leo der auf nichts entbrant als mordt vnd spott
Er brach die einsamkeit / vnd bann't auß Kirch vnd Reichen
Den / der sich vor jhm zwang vom Stuel in staub zu weichen. 60
Er must auf Proten zu der dieses grosse Landt
In sein gebiette schloß / den schloß ein enger Sandt /
Den jeden augenblick / die wůßte See abspůlet!
Sein Sohn Theophilact! was hat er nicht gefůhlet?
Alß man was månlich war von seinen Lenden riß 65
Vnd jhm deß Brudern glied ins Angesichte schmiß!
Brich an gewůndschter tag / den so viel tausend tråhnen /
So mancher Seufftzer macht / so viel betrůbte sehnen
Herfordern! O brich an! mein leben mag vergehn!
Kan nur mein fuß zuvor auff deinem Kopffe stehn 70
Du Bluthund. Du Tyrann / kan ich den frevel rechen!
So mag mich auf dem platz ein schneller spieß erstechen.

49 *sie tagt vnß aus,* austagen: in jus vocare, fordern, zur Rechenschaft ziehen.
53 *Michael:* Michael I. Rhangabe (regierte 811–813). Nach der schweren Niederlage des byzantinischen Heeres bei Versinikia (813) gegen den Bulgarenkhan Krum (Crummus) mußte Michael die Herrschaft an den Heerführer Leo Armenius abgeben und sich auf dessen Geheiß nach der Insel Prote (πρωτη) an der Westküste Messeniens begeben. Vgl. Johannes Zonaras, »Weltgeschichte« liber XV, cap. 18, hrsg. durch L. Dindorf (Teubner 1868–1875), Bd. I–VI. Vgl. auch Gryphius' Anmerkung in seiner »Erklårung etlicher dunckelen örtter«.
64 *Theophilact:* siehe Gryphius in »Erklårung etlicher dunckelen örtter«.

II. Verschw. Er leide was er that! der tag bricht
freylich an.
Wofern deß Menschen geist / was kůnfftig / rathen kan /
Wofern die weise Seel kan auß dem kårcker dringen
In den sie fleisch vnd noth / vnd zeit vnd Arbeit zwingen /
Vnd durch die Lůffte gehn / gefiedert mit verstandt
Vnd was verborgen schawn: so muß der zwinge-landt
Eh' alß noch jemand denckt / dem Schwerdt zur beutte fallen.
Mich důnckt ich hőre schon die Rachtrompet erschallen!
Mich. Was hat die red' auff sich? 2. Verschw. das
prächtige gemach /
Das oben auff der Burg von grund auf biß ans Dach
Mit Alabaster / Ertz vnd Marmor aufgefůhret /
Wird nicht so sehr durch Gold / vnd reichen pracht geziehret /
Als hoher Sinnen Schrifft. manch altes Pergament
Stelt vns die Helden vor die Pers vnd Scythe kennt
Die vor das Vaterland jhr Leben auffgesetzet
Vnd mit der Feinde Blut das stoltze Schwerdt genetzet.
Was kan die feder nicht / die den das Leben giebt
An welchem Todt vnd zeit hat jhre macht verůbt!
Man kan der Sonnen lauff / der Sternen schnelles wesen /
Der Kråutter eigenschafft auf tausend blåttern lesen.
[4] Der Griechen jhre Kunst / der weiten Lånder art
Vnd was ein Mensch erdacht / wird in Papier verwahrt /
Was mehr noch / wie man kan / diß was verborgen wissen /
Vnd wie vnd wenn ein Mensch sein Leben werde schliessen.
Vor andern hab ich offt / vnd zwar nicht sonder frucht /
Ein vnbekandtes werck voll Malerey durchsucht.
In welchem / wie man meynt / was jeder Fůrst getrieben /
Der diesen Thron besaß durch zeichen aufgeschrieben:
Wie lange dieses Reich werd' in der blůthe stehn:
Wie kůnfftig jeder Printz werd' auff vnd vnter gehn.

73 *Er leide was er that!:* siehe Gryphius in »Erklårung . . .«.
98 *Ein vnbekandtes werck:* Oracula Sibyllina, siehe Georgios Kedrenos (Cedrenus), »Chronik« ed. Immanuel Bekker CSHB (Corpus Scriptorum Historiae Byzantinae), Bonnae 1838, Bd. II, p. 63.

Man lernt auß dem die Angst / die bůrde die vns drůcket /
Das mittel / das die noth / in der wir fest' / entstricket.
Der Lôw verwichner zeit bekrâfftigt was man glaubt / 105
Die Jahre weisen den / der alles wůrgt vnd raubt.
Das weise Buch zeigt vnß ein ebenbild deß Lôwen /
Der mit entbrantem Muth vnd Klawen scheint zudrâwen /
Er wirfft die fôrder-Fůß / als rasend in die Lufft /
Das haar fleugt vmb den Kopff; ja das gemâlde rufft 110
Von seiner grausen arth / die hellen Augen brennen
Erhitzt von tollem Zorn / die Leffz' ist kaum zu kennen
Fůr schaum vnd frischem Blut / das auff die erden rint /
In dem er biß auff biß vnd mord auf mord begint.
Was mag wol klârer seyn? den starcken růcken decket / 115
Ein purpur rothes Creutz / wodurch ein Jâger stecket
Mit mehr denn schneller Hand ein scharff geschliffen schwert /
Das durch haut fleisch vnd bein biß in das hertze fâhrt.
Jhr kent das rawe thier: das Creutz ist Christus zeichen:
Ehr sein geburtstag hin / wird dieser Lôw erbleichen. 120
M i c h. Ich wil der Jâger seyn; wer fůr gut Ehr vnd Landt
Vnd leben mit mir steht / wer seinen geist zu pfand /
Vor ruhm vnd freyheit setzt / wer mutig was zu wagen /
Wer die so herbe last vnlustig mehr zu tragen /
Wer Rach' vnd lohn begehrt / wer todt vnd ewigkeit 125
Mit fůssen tretten kan / der steh' in dieser zeit
Mit Rath vnd hânden bey / vnd helff auf mittel spůren
Den anschlag ohn verzug vnd argwohn außzufůhren.
C r a m b. Wir gehn wohin du ruffst. M i c h. Ich schwere Leib vnd blut

103 C Da zeigt der Augenschein die Last die itzt uns drůcket
105 f. C Der Zeiten Vmblauff gibts was Kirch und Welt verletz';
Vnd auch der sichern Ruh' in schârffsten Jammer setz'.
107 C Der Abriß stellt uns vor
115 C Růcken zihret
116 C Der schlaue Jâger fůhret
117 C In mehr denn schneller Faust
118 C Creutz / Haut und Fleisch ins Lôwen Hertz einfâhrt

[5] Zu wagen fůr das Reich / vnd das gemeine Gutt. 130
Thut was jhr nőtig acht'. C r a m b. Gib her dein Schwerdt.
Wir schweren
Deß Fůrsten grimme Macht in leichten staub zu kehren.

Der Ander Eingang.

Leo Armenius. Exabolius. Nicander.

L e o. So nimbt er weder rath noch warnung mehr in acht?
E x a b. So ists? Vermahnen / Bitt vnd drewen wird verlacht.
Er laufft wie wenn ein Pferd die ziegel hat durchrissen / 13
Wie eine strenge bach / wenn sich die strőm ergiessen
Vnd Håuser / Båum' vnd Vieh' hin fůhren in die See,
Sein muth wåchst mehr vnd mehr / vnd (wo ich was versteh')
Er hat ein grősser werck / mit andern vorgenommen /
Als vns vor dieser zeit je ist zu ohren kommen. 14
L e o. Trewloser aberwitz! mehr denn verfluchter Mann!
Vndanck dem Laster selbst kein Laster gleichen kan!
Durchteufeltes gemůth! vermaledeyte sinnen!
Die keine Redligkeit noch wolthat mag gewinnen!
Hab ich dich tollen hund vom koth' in hof gebracht? 14
Vnd auf selbst eigner Schoß berůhmbt vnd groß gemacht!
Hat vns die kalte Schlang / die jetzund sticht / betrogen.
Ist dieser Basilisc' an vnsrer Brust erzogen.
Warumb hat man dich nicht erwůrgt auf frischer that /
Eh man die Vntrew noch entdeckt dem grossen raht? 15
Hat vnß der hohe muth / vnd der verstand bethőret?
Stårckt ich den Arm der sich nun wider vnß empőret?
Was ist ein Printz doch mehr alß ein gekrőnter Knecht
Den jeden augenblick was pråchtig vnd was schlecht
Mit hand vnd mund verletzt. den ståts von beyden seiten 15

141 BC Durch Wahn verfůhrter Mann
154 C was hoch / was tiff / was schlecht /
155 C Was måchtig: trotzt und hőhnt

Neyd / Vntrew' Argwohn / Haß / Schmertz / Angst vnd
furcht bestreitten.
Wehm traw't er seinen Leib / weil er die lange Nacht
In lauter sorgen theilt / vnd fůr die Lånder wacht /
Die mehr auff seinen Schmuck' als rawen kummer sehen /
Vnd (weil jhn mehr nicht frey) was ruhm verdienet /
schmåhen. 160
Wen nimbt er auf den Hoff? den der sein Leben wagt /
[6] Bald fůr / bald wider jhn / vnd jhn vom hofe jagt /
Wenn sich das spiel verkehrt. Man muß den todtfeind ehren /
Mit blinden Augen sehn / mit tauben ohren hören.
Man muß / wie sehr das Hertz von zorn vnd eyver bren't / 165
In worten sittsam seyn / vnd den / der Regiment
Vnd Cron mit fůssen tritt / zu Ehrenåmptern heben;
Wie offt ist diese schuld dem Låsterer vergeben!
Wie offt! was klagen wir! hie hilfft kein klagen nicht /
Nur ein geschwinder Rath: N i c a n d. Brich eh' er selber
bricht: 170
L e o. Wer wird nicht wenn er stůrb' ohn Vrtheil jn beklagen.
N i c. Ein Printz muß nicht so viel nach leichten worten
fragen!
L e o. Ein leichtes wort richt offt nicht leichten auffruhr an.
Volck / Haubtman / Roß vnd Knecht siht nur auf diesen
Mann.
E x a b o l. Man stell jhn auf der Burg gebunden fůr gerichte. 175
L e o Wie? wenn er wie vorhin die klagen macht zu nichte?
E x a b o l. Die auflag ist zu klar! L e o. Nechst auch / doch
kam er loß.
N i c a n d. Drumb schnaubt er Rach' vnd Mord. L e o. sein
anhang ist zu groß.
E x a b o l. Wen man den Kopff abschlegt / den kan kein
glid mehr schaden.
L e o. Ich wůrde vieler haß vnd feindschafft auff mich laden. 180
E x a b. Man sieht nach keinem haß / wen's Cron vnd
Zepter gilt.

172 C Der Fůrst

Leo. Er hat Sud / Ost vnd West mit seinem Ruhm erfůllt.

Exabol. Itzt wird Sud / Ost vnd West verfluchen sein
verbrechen.

Leo. Wo fern nur Ost vnd West nicht seine Straffe rechen.

Exabol. Ein vogel fleucht den baum / auf den der donner
schlågt. 185

Leo. Der grosse wůste wald wird durch den schlag bewegt.

Exabol. Bewegt vnd auch erschrǒckt. Man lernt die
Klippen meiden

An der ein frembder Mast hat můssen schiffbruch leiden.

Leo. Er hat den knopf deß schwerdts / wir leider nur die
scheid.

Exabol. Halt fest eh' alß er sticht. Es heist schneid oder
leid. 190

Leo. Wer wird die freche Faust in eisen schliessen kǒnnen?

[7] Exab. Wo keine stårcke gilt / muß man der list was
gǒnnen.

Nicand. Man greif jhn vnversehns / so bald er herkompt /
an.

Leo. Vngerne stehn wir zu / was man nicht åndern kan.

Wir fůhlen diß Gemůt durch seine schuld bestritten / 195

Wir hǒren sein Verdienst fůr sein verbrechen bitten.

Die ůbergrosse gunst / die wir jhm offt erzeigt /

Der Marmor harte Muth den kein ermahnen neigt /

Erhitzen vnsern zorn. Vnß jammert seiner stårcke.

Doch vnser geist ergrimm't / dafern wir seine wercke 200

Nur ůberhin besehn! Es muß gedonnert seyn /

Nun jhn kein plitzen schreckt: red' jhm noch einmahl eyn.

Er soll auff vnser wort in dem Palast erscheinen.

Wo er zu åndern ist / wo / (wie wir kaum vermeinen)

Er seine schuld erkennt' / vnd den / den er verletzt / 205

Mit ernster demuth ehrt / wird hier kein schwerd gewetzt.

Wo fern er / (wie gewohnt) das alte lied wil singen.

Nicander / Mach jhn fest. der stoltze Kopff mag springen.

Der sich nicht beugen kan.

Der Dritte Eingang.

Nicander. Exabolius.

Nicht vnverhoffter schluß!
Doch viel zu später ernst. Verzeih' es mir. ich muß 210
Entdecken was mich druckt. Der Kayser ist zu linde
Vnd schertzt mit seinem heil: wer / wenn die rawen winde
Sich lägern vmb die glutt / den flammen zu wil sehn
Biß daß es vmb sein dach vnd gantzes hauß geschehn /
Rufft leider nur vmbsonst / wenn Maur vnd pfeiler krachen / 215
Vnd stein vnd Marmor fällt. Die Ertzverräther wachen /
Wir schlaffen sicher ein. Sie suchen vnsern todt
Wir sorgen vor jhr glück / vnd nun die grimme Noth
Vns mit entblößtem schwerdt schon anlaufft zu bekriegen:
Sind wir bedacht in traum mit worten sie zu wiegen 220
Warumb doch Exabol spricht man den tauben zu?
Die Schlange stopfft jhr Ohr. der stahl schafft einig ruh /
Dem Keyser / dir / vnd mir. Ich soll den Mörder binden!
Warumb nicht seine Brust mit diesem dolch ergründen?
[8] So ist sein pochen auß. Diß ist Nicanders raht! 225
Man lobt ein grosses werck nur nach volbrachter that!
E x a b o l. Ich steh' es gerne zu / daß sein verletzt gewissen
Durch nichts als blut vnd todt mög alle grewel büssen.
Doch wen der straff' ein Man zutheil kömpt vnverhört /

222 *Die Schlange stopfft jhr Ohr:* emblematische Verweisung auf die Schlange, die vor den Beschwörungen der Magier das Ohr verstopft. Siehe Joachim Camerarius, SYMBOLORUM / ET EMBLEMATUM EX AQUATILIBUS ET REPTILIBUS . . . An°. SALUT. MDCIV Nr. 85: MENTEM NE LAEDERET AURIS. Carminis insidias serpens magici exit opertis / Auribus: illecebras sic fuge, tutus eris. Siehe »Emblemata, Handbuch zur Sinnbildkunst des 16. und 17. Jahrhunderts«, hrsg. von Arthur Henkel und Albrecht Schöne, Stuttgart 1967, Sp. 641. Das gleiche Sinnbild erscheint später in Lohensteins »Sophonisbe«, in dessen »Cleopatra« und in Hallmanns »Sophia«. Siehe dazu Albrecht Schöne, »Emblematik und Drama«, München 1964, S. 107 f., zur Verwendung bei Gryphius, ebenda S. 158.

225 *So ist sein pochen auß:* sein Trotz gebrochen.

Wird / wie befleckt er sey / Er stets alß from geehrt. 230
N i c a n d. Jhr meynt durch langes Recht die schnelle Pest zu dämpffen /
Die augenblicklich wächßt! jhr meynt mit recht zu kämpffen /
In dem er spieß' ergreifft! der jrr't der einen tag
Dem nachsicht / dem er bald den nacken brechen mag.
E x a b o l. Man wird nicht lange zeit mit rechten hier verlieren! 235
N i c a n d. Ich kan ein kürtzer Recht mit diesem stahl außführen.
E x a b o l. Deß Keysers Ruhm läst nicht so strenge Richter zu?
N i c a n d. deß Keysers wolfahrt heist vnd billicht was ich thue.
E x a b o l. Warumb wil man dem Neidt zu lästern anlaß geben?
N i c a n d. Warumb sol dieses haubt der auffruhr weiter leben? 240
E x a b o l. Sein vntergang ist dar wo er nicht stracks vmbkehrt.
N i c a n d. Wo nicht sein schwerdt zuvor vns durch die hertzen fährt.
E x a b o l. Dein Eyver ist zwar gut. Nicander. doch zu hitzig.
N i c a n d. Macht Exabol. macht nicht den Anschlag gar zu spitzig /
Er sticht vnß sonst noch selbst. E x a b. thue was der Keyser heißt 245
Besetze Saal vnd hoff / wo fern der freche geist
Nicht in die schrancken wil; so laß jhn stracks bespringen.
N i c a n d. Man muß die stärckste schaar in nächste Zimmer bringen.
E x a b. bleib hinter dem Tapett mit den Trabanten stehn.
N i c a n d. gar recht! so hör ich an wie diß spiel auß wil gehn. 250

Der Vierdte Eingang.

Exabolius. Michaël Balbus.

M i c h. Wo werd ich Exabol den Keyser finden können?
E x a b o l. Er wird / wie ich vermeyn / dir stracks verhöre
gönnen.
[9] M i c h. Warumb / wie ich vermeyn? was thut er ohne
dich?
E x a b o l. Er selbst thut was jhn dünckt. der Keyser
herrscht vor sich.
M i c h. Wie so bestürtzt? so still? so einsam! so betrübet! 255
Wo geht der Seuffzer hin? hat Er den du geliebet /
Hat Leo der nunmehr auch keiner freunde schont /
Mit vngunst / wie er pflegt den langen dinst belohnt?
Er schweigt! er kehrt sich vmb! was gilt's ich hab es troffen!
Hat einer denn nicht mehr alß solchen danck zu hoffen? 260
Der sich in heisse noth vnd tieffen kummer stürtzt /
In dem der Fürst die zeit mit tausend lüsten kürtzt.
Er schwimbt in einer See mehr denn gewündtschter wonne /
Weil wir in eisen stehn vnd leiden staub vnd Sonne.
Vnd wider Feind vnd lufft vnd land zu felde ziehn. 265
Wir wagen vnser blutt / Jhn rühmbt man / wenn sie fliehn /
Der in dem Garten sitz't. Man füll't die sieges zeichen
Mit seinen titteln aus wen wir im graß erbleichen;
Denn deckt man vnsern Ruhm / vnd stärck vnd muth vnd
standt /
Vnd thaten vnd verdienst mit einer handvoll Sandt. 270
Bringt man den müden Leib / die wundenvollen glieder
Den halb-zustückten Kopff vnd brust nach hofe wieder
So schawt er vnß alß die / so Jhm geborget / an /
Vnd wo ein schlimmer stand / den niemand führen kan /
Wo ein verzweifelt orth / den keiner weiß zu halten: 275
Wo ein gefährlich ampt / das heißt man vnß verwalten.
Vnd setzt vmb kundschafft vnß Verräther an die Seitt.

267 C Dan heists: der Käyser thats

Daß man / wenn frieden herrscht / mehr angst hat / alß
wenn streitt.
Biß daß man was versieht / biß daß der Printz was glaubet /
Denn wird vns Ehr vnd gut mit sampt den haupt geraubet.
Exab. Mein freundt! der freye Mund bringt dich in hőchste
noth
Wo fern vns jemand hőrt / so bist du lebend todt.
Mich. diß klag ich daß nicht mehr erlaubet auß zusprechen
Was leider mehr denn war / man schåtzt fűr ein verbrechen
Daß Schwerdt vnd Pfahl verdient ein vnbedachtes wort.
Wo ist die Freyheit hin? die Freyheit derer ort
[10] Ein honigsűßer mund / ein schmeichler eingenommen /
Der durch sein heuchlen ist auf diese stelle kommen /
Die meine faust erwarb. Ich spey mich selber an
Daß ich diß krumme spiel so lange schawen kan:
Der Mensch der sich durch list hat in den Thron gedrungen
(Wie Erd vnd Sonne weiß /) der keinen Feind bezwungen /
Als durch ein frembdes Schwerdt. der kein anbringen hőrt
Das etwas vnsanfft ist / der ohrenblåser ehrt /
Vnd tugend vnterdruckt / vnd redlichkeit verdencket
Vnd sich mit frembder furcht vnd falschem argwohn
kråncket:
Der nie ein frembdes Volck mit stahl vnd glut verderbt /
Vnd stets die Klaw'n im blut der Bizantiner fårbt
Der sich von jedem Knecht vnd Buben låst regiren /
Vnd schåndlich vmb das Liecht / als mit der Nasen fűhren.
Der ists / den du vnd ich mit zittern műssen schawn!
Der ists / dem wir das Reich vnd gutt vnd halß vertrawn.
Wie lange wird vns noch furcht / wahn vnd schrecken
blånden?
Dafern du wilst was ich / so steht in diesen hånden
Das ende solcher noth. Exab. der anfang newer pein.
Ich bitte was ich mag. Mich. stell alles bitten ein /
Vnd thue was deiner Ehr vnd Tapfferkeit gebűhret.
Exab. Ich thue was freundschafft heist / wer einem / der
verfűhret.

Den rechten weg entdeckt / wer einen Mann erhält.
Der nach dem abgrund eilt / vnd diesem der nun fält 310
Sich selber vnterlegt; thut mehr denn zu begehren:
Du suchst was man durch blut / durch würgen vnd verheeren
Vnd flam' vnd todt kaum find't / es geh die stoltze Ruh
Der sich'ren Länder ein! rufft schildt vnd spieß herzu!
Setzt alle Schwerter an! kanst du ohn argwohn glauben / 315
Daß alle / nicht vor sich / nur dir zu nutze rauben?
Noch mehr! wer fällt vns bey: Vier hände thun es nicht!
Viel können / wenn ein mundt nicht aller trewe bricht.
Gesetzt auch / daß wir schon mit tausend heeren drüngen
Ins Keyserliche schloß / vnd Hoff vnd Statt besprüngen: 320
Würd Leo wol allein ohn schwerdt vnd Tartsche stehn?
Nein sicher! die nunmehr an seiner seiten gehn /
Die seine Macht erhub / vnd die durch jhn nur leben:
[11] Die müssen Hertz vnd Halß vor seine Crone geben.
Warumb? sein vntergang würd' jhr verderben seyn / 325
Auch der / dem was er schafft / geht trefflich bitter eyn /
Der stets nach newer zeit / vnd newen Herren flehet /
Der lobet was man hofft: was gegenwertig schmehet:
Der nichts denn seine Faust vnd von rost rothen spieß
Vnd was der harte Perß in jener schlacht verließ 330
Herschnarchet / der Tyrann vnd Printzen keck zu tödten /
Wenn man mit gläsern schantzt bey vollen Nacht Pancketen /
Zerschmeltzt vor heisser angst / wenn die Trompet erwacht
Wenn man den schildt ergreifft / vnd in dem Harnisch kracht.
Viel wündschen nur die macht deß Fürsten zu beschneiden 335
Nicht gäntzlich abzuthun. Viel können frembde leiden /
Mehr / nur jhr eigen blutt! die vngewisse macht
Der Waffen geht nicht fest: wer durch den zwang der schlacht

321 *Tartsche:* vgl. mhd. tarsche, kleiner Rundschild.
331 *Herschnarchet:* prahlt, vgl. niederdt.-niederl. snorken, schnarchen, schwatzen, prahlen.

In thron zu dringen meyn't / kan durch die schlacht verschwenden;
Diß was er hoffen mag / vnd was er hält in händen.
Ja finden angst vnd ach! vnd schmertzen volle noth /
Vnd nach erlängter quaal den jammer port den todt.
Der Himmel selber wach't vor die gekrönten hare /
Vnd steht dem Zepter bey. die ringen nach der bare /
Vnd nehmen vnverhofft ein schnell- vnd schrecklich endt /
Die das besteinte goldt der schweren Krone blendt.
Bedenck auch was es sey / vor so viel tausend sorgen /
Stets alß gefangen gehn; wenn der bestürtzte morgen
Die angst der welt entdeckt; anhören was das Schwerdt
Der Persen nider wirfft / wohin der Scyten Pferdt
Den schnellen fuß einsetzt. Was Susa vorgenommen:
Wie weit der Barbar sey: wie weit der Gothe kommen:
Itzt daß der Hunnen grim schon durch den Ister setzt /
Daß Cypern frembde sey: daß Asien verletzt:
Daß Colchos newe ränck vnd Pontus list ersinne:
Baldt daß der stoltze Franck in Griechenland gewinne:
Daß Taurus nicht mehr trew' jtzt heischt die grosse Statt /
Die Königin der welt / was man zue hoffen hatt.
Itzt schickt vnß Illiris bald Sparten Abgesandten:
Baldt fordert Nilus hülff; vnd vnsere Bundsverwandten
[12] Entdecken was sie druckt. Baldt rufft das Heer nach Sold:
Die Länder wegern Korn: den Stätten mangelt gold.
Itzt wil der Wellen schaum biß an die Mauren fliessen:
Itzt wil deß himmels neydt die äcker nicht begiessen.
Der strenge Titan sengt mit glüendt-heissen licht
Die dürren garben weg / die Erden selber bricht /
Vnd wil nicht länger stehn wenn Hemus gipffel zittert:

339 C Vmb Throne spilen wil
353 *Ister:* Donau.
362 *wegern:* weigern, verweigern.
365 *Titan:* der Sonnengott Sol als Sohn des Titanen Hyperion und der Theja, vgl. Vergil, »Äneis«, IV,119.

Wenn sich die hohe Last der schweren Tuͤrn erschuͤttert /
Vnd Tempel vnd Altar vnd Burg vnd Hof vnd Hauß:
In einem augenblick verdeckt mit kalck vnd grauß. 370
Itzt heckt die faule Lufft geschwinde Pestilentzen /
Vnd steckt die Laͤnder an; bald streiffen auf den graͤntzen
Die / so nur raub ernehrt. baldt bringt man auf die bahn
Gereitzt durch aberwitz vnd duͤnckel vollen wahn
Ein vnerhoͤrte Lehr. (o Seuche dieser zeiten!) 375
Die maͤchtig gantze Reich vnd Voͤlcker zu verleiten /
Daß sich deß Pfeylers grundt der Cron vnd Infell traͤgt
Vnd Creutz vnd Zepter stuͤtz't / erschuͤttert vnd bewegt.
Diß geht nicht jeden an / doch ieder hat zu leiden
Vor sich sein eigen theil. der Fuͤrst kan nichts vermeiden. 380
Er fuͤhlt die gantze Last. Wenn einer was verbricht
Der Jhm zu dienste steht / den fuͤrch't der Poͤvel nicht
Die Schuld wie groß sie war dem Printzen zuzuschreiben:
Kan etwas was er schafft wol vngetadelt bleiben?
Er zagt vor seinem schwerdt / wenn er zu tische geht 385
Wird der gemischte Wein / der in Cristalle steht /
In gall vnd gifft verkehrt. alßbald der tag erblichen:
Kompt die beschwaͤrtzte schaar / das Heer der angst geschlichen /
Vnd wacht in seinem bett / Er kan in Helffenbein
In Purpur vnd Scarlat niemal so ruhig seyn 390
Als die / die jhren Leib vertraw'n der harten Erden:
Mag ja der kurtze Schlaff jhm noch zu theile werden /
So faͤlt jhn Morpheus an vnd mahl't jhm vor / die Nacht /
Durch schwere Phantasie / was er bey liechte dacht /
Vnd schreckt jhn bald mit Blut: bald mit gestuͤrtztem Throne: 395
Mit brand / mit ach vnd todt vnd hingeraubter Crone.

368 *Tuͤrn:* Türme, vgl. mhd. turn.
375 *Ein vnerhoͤrte Lehr:* der Ikonoklasmus, der Bildersturm, der die byzantinische Geschichte des 8. und 9. Jh.s wesentlich bestimmt.
377 *Infell:* Zeichen der geistlichen Herrscherwürde, vgl. mhd. infel; lat. infula, Binde, Priesterbinde.

Wilst du mit dieser bůrd' abwechseln deine ruh?
Warumb? dir scheußt der strom der hŏchsten gůtter zue!
[13] Verlangt dich auch nach ruhmb? du bist so hoch
gestiegen:
Daß du das gantze Reich schawst dir zu fuße liegen.
Deß Krieges grosse macht beruht in deiner handt.
Wer nach deß Keysers Schloß von Printzen wird gesandt:
Låst sich bey dir / vnd den durch dich bey hoff antragen.
Der Fůrst kan andern wol; du kanst dem Fůrsten sagen.
Leid etwas ůber dir! der den der ehrgeitz jagt:
Der sich ins weite feldt der leichten lůffte wagt;
Mit flůgeln / die Jhm wahn vnd hochmuth angebunden /
Ist / eh' er sich im Thron der heissen Sonnen funden /
Ertruncken in der See. Zwar Phaëton ergrieff
Die zůgel. aber als der strenge wagen lieff /
Vnd Niger / Phrat vnd Nil' in lichter flamme schmachten.
Als schon die donnerkeyl auff seinem Kopff erkrachten /
Verflucht er / doch zu spåth die hochgewůndschte macht.
M i c h a e l. Diß rede Kindern eyn! Ein helden geist der
lacht
Diß leichte schrecken auß. Ein mann wird / mag er leben
Nur einen tag / gekrŏnt: in hŏchste noth sich geben.
Diß was vnmŏglich scheint / wird mŏglich / wenn man wagt.
Man schåtzt die Zepter schwer / doch legt sie / der es klagt /
Nicht vngezwungen hin. Ist wol ein stand zu finden.
Den nicht sein eigne Pein mit kummer muß vmbwinden?
Furcht schwebt so wol vmb stroh vnd Leinwad / als
Scarlat /
Wenn Phocas / wenn Iren gebillich't deinen rath
Sie wůrden nimmermehr die Cron ergriffen haben

409 *Phaëton:* Sohn des Sonnengottes, der den Sonnenwagen einen Tag lang lenken darf, dabei einen Weltbrand erregt und mit dem Blitz Jupiters erschlagen wird. Vgl. Ovid, »Metamorphosen«, I, 750 ff.

411 *Phrat:* Euphrat.

422 *Phocas:* byzantinischer Kaiser (602–610). Er führte den Aufstand gegen Kaiser Maurikios I. (582–602) an der Spitze der Donauarmee und ermordete ihn und seine Familie. Seine Regierungszeit ist ge-

Wenn Leo selbst so tieff ein iedes ding durch graben.
Wenn Jhn die leichte furcht so weibisch abgeschreckt / 425
Wer itzt wol Michael ins hårne Kleidt versteckt?
E x a b o l. Wenn Phocas / wenn Iren sich mehr in acht genommen:
Wer er wol vmb den Leib / vnd sie ins Kloster kommen?
Wenn diß Leont was mehr vnd offter übersehʼn /
Hett er nicht auff dem Platz vmbringt mit hohn vnd schmehʼn 430
Vnd marter / Angst vnd ach den geist ausstossen müssen!
M i c h. Hått Jhn Justinian getretten je mit füssen!
Hett er die Bulgarey zu seinem heil bewegt /
Wenn er die zarte Faust sanfft in die schos gelegt.
E x a b. Er stund nach seinem Reich auß dem er war vertrieben. 435
[14] M i c h. Wer deinem Rath gefolgt / werʼ in dem elend blieben.
E x a b. Er war durch falsche list vnd auffruhr außgejagt /
M i c h. Glaubt man daß Michael nicht über auffruhr klagt.
E x a b. Er gab diß willig hin / was jhn zu sehr gedrücket.
M i c h. Ja. als jhn Leo schier in dem Palast bestricket. 440
E x a b o l. Er kondte keinem feind gewaffnet widerstehn /
M i c h. Drumb lernt er aus dem Hoff ins wüßte Kloster gehn.
E x a b. da mustʼ ein Heldt das Reich das schon erkrachte stützen.
M i c h. Warumb nicht itzt nun schon die stütze nicht wil nützen.

kennzeichnet durch blutigen Terror gegen die Aristokratie. Er selbst wurde durch Herakleios (610–641) gestürzt.

427 Die Kaiserin Eirene fiel 802 einer Palastrevolution zum Opfer.

429 *Leont:* Leontios, Feldherr Justinians.

432 *Justinian:* Justinian II. Rhinotmetos, byzantinischer Kaiser von 685–695 und 705–711. Auch er ist ein Exempel, um den Wechsel des »schnellen Glücks« darzustellen. Er wurde 695 von seinem bis 698 regierenden Feldherrn Leontios gestürzt. Justinian emigrierte, Afrika ging an die Araber verloren. 705 kehrte Justinian mit Unterstützung der Bulgaren an die Macht zurück, wurde aber 711 erneut gestürzt und umgebracht.

E x a b. Was ist das man mit recht vnd warheit tadeln kan?
M i c h. Diß. daß der Keyser nie / was lobens werth / gab' an.
E x a b. Man siht das grosse Reich in stillem Friede blůhen.
M i c h. Weil ich / nicht Leo / muß gerůst zu felde ziehen.
E x a b. Der Vorrath kỏm't ins Land mit Seegelreichem wind'.
M i c h. Weil Ister vnd der Pont durch mich versichert sindt.
E x a b. Der Perse schenckt vns goldt. M i c h. das ich jhm abgezwungen.
E x a b. der rawe Schyte ruht. M i c h. Er ist durch mich verdrungen.
Was legt man andern zue / was ich zuwegen bracht?
Sein Leben / seine Kron steht vnter meiner macht.
E x a b. Ich bitte nicht zu hoch! M i c h. noch hỏher! solt ich schweigen?
Vor mir muß Franc vnd Thrax die stoltzen Haupter neigen.
Mich fůrcht der Hellespont. Vor mir erschrickt die welt
Die ewig stetter frost in eyß gefangen helt.
Der weiß bezåhnte Maur entsetzt sich vor den thaten /
Die meine faust verůbt; die in Cyrene braten /
Erzehlen meine werck vnd meiner Palmen Ehr /
Ihr hettet / (wer' ich nicht) was? keinen Keyser mehr.
Ich hub jhn auf den Thron / als Michael geschlagen:
Ich zwang jhn daß er sich must' in den anschlag wagen:
Vnd bin ich nicht mehr der / der Ich vor diesem war?
Mein leben ist sein Heil / mein drewen seine bar.
Sein Zepter / Kron vnd blutt beruht auff diesem degen /
Der måchtig seine Leich ins kalte grab zu legen /
Der / nun er ein Tyran vnd schwartzen argwons voll
[15] Jhm durch den grimmen brun der adern dringen soll.

450 *Pont:* Hellespont (Dardanellen).
456 *Franc vnd Thrax:* Franken und Thraker. Frankenreich und Byzanz stritten sich um die Grenze in Dalmatien. Michael I. Rhangabe anerkannte zwar den Kaisertitel Karls des Großen, führte aber den Titel eines Basileus Rhomaion und vertrat damit den Anspruch auf Weltherrschaft, welchen Michael Balbus hier erneuert.

Der Fůnffte Eingang.

Michael. Nicander. Die Trabanten / Exabol.

Nic. Gib dich Mich. was habt jhr vor? Nic. aufs
Keysers wort / gefangen.
Mich. Verråther. Nic. leg vns auff / was du so offt
begangen.
Mich. Wie? Nic. Reißt den degen hin. Mich. Mir? Nic.
also baldt. Mich. Mein schwerdt.
Das ewren Leib beschůtzt? Nic. vnd vnser todt begehrt.
Mich. Hilff himmel! was ist diß! Nic. was du dir
vorgenommen: 475
Ist nunmehr / zweifle nicht / auf deinen scheitel kommen.
Bringt ketten. Mich. ketten? mir? Nic. dir / Mo̊rder.
Mich. ketten? nein.
Ich wil / vnd ob ich sterb / auch vngebunden seyn.
Nic. Der Keyser wil was mehr. Mich. ha! diener deß
Tyrannen.
Geht Hencker. Trab. Mo̊rder kom. Mich. wolt Jhr in
fessel spannen 480
Den der fůr ewer blutt vnd freyheit hat gewacht!
Trab. Er mag nun schlaffen gehn. Mich. Ach! wird der
Mann verlacht?
Vor dem die Erd erbebt! wiß't jhr wen jhr verho̊net?
Trab. den / welchen meyneydt nicht hat in Bisantz
gekro̊net.
Mich. Was hetzt euch auf mich an? Trab. dein
vngerechte pracht! 485
Dein Fůrstenmordt. Mich. verflucht wer sich zum Sclaven
macht /
Da fern er herschen kan. du fůhrst mich in die bande

476 BC zu letztem Ziele kommen
482 BC Ach! werd ich hier verlacht?
484 BC Den welcher selbst zu frůh sich in
486 BC Dein eigen Mund. – Wichtige Textvariante, siehe A. Schöne, »Emblematik und Drama«, S. 159.

Durchaus vergällte Seel. Abgrund der ärgsten schande!
Hoffheuchler! doppelsinn! Mordtstiffter! Lügenschmidt!
Was hindert mich daß ich nicht rasend glied von glied
Dir Basiliske zih' vnd eyl in staub zu tretten /
Den schlawen Natterkopff! was hindert mich! Trab. die ketten.
[16] Exab. Die gruben zeigt ich dir. Mich. du stürtzest mich in todt.
Exab. Ich warn'te doch umbsonst. ich schreckte mit der noth.
Doch galt mein retten nicht. Mich. drumb muß dein schelmstück gelten.
Exab. Man kan wenn lästern frey / die tugend selbst ausschelten.
Mich spricht die Vnschuld loß. Mich. Ha! schweig Tyrannenknecht.
Wo bin ich! Himmel hilff! wo schläft das grosse Recht?
Gefangen / nicht verklagt! Verdamt doch nicht verhöret!
Verrathen durch den Freundt. den / den der Barbar ehret
Erwürgt der blutFürst! ach! Trab. fort! fort! Trab. er wird entflihn.
Trab. Auff Kayserlichen thron! Mich. Man sol mich eh'r zerzihn /
Als zihn wenn ich nicht wil. Trab. Stoß zu. Mich. Ja stoß den degen /
Stoß Hencker durch mein Hertz. Weil sich die glieder regen.
Ist Michael noch frey / schleifft! würget! stoßt vnd schmeist!
Schlagt! bindet! ich bin frey / druckt! martert! renckt vnd reist!
Ich wil diß (stünd' ich gleich in liechtem Schwefel) melden:
Daß diß der Tugend lohn. Daß diß der danck der Helden.

493 BC Du zeigtest mir den Tod
502 BC Mich. Doch bleib ich allzeit mein!

Reyen der Hôfflinge

Satz

Das Wunder der Natur / das ůberweise Thier
Hat nichts das seiner zungen sey zugleichen 510
Ein wildes Vieh' entdeckt mit stummen zeichen
Deß innern hertzens sinn; mit worten herrschen wir!
Der Tůrme Last / vnd was das Land beschwert.
Der Schiffe baw' / vnd was die See durchfåhrt /
Der Sternen grosse krafft / 515
Was Lufft vnd flamme schafft /
Was Chloris låst in jhren gårtten schawen /
Was das gesetzte Recht von allen Vôlckern wil.
[17] Was Gott der welt lies von sich selbst vertrawen;
Was in der blůtte steht was durch die zeit verfiel 520
Wird durch diß werckzeug nur entdecket.
Freundschafft / die todt vnd ende schrecket /
Die Macht / die wildes Volck zu sitten hat gezwungen /
Deß Menschen leben selbst; beruht auf seiner zungen.

Gegensatz.

Doch / nichts ist das so scharff / als eine zunge sey! 525
Nichts das so tief vns arme stůrtzen kônne.
O daß der Himmel stumm zu werden gônne!
Dem / der mit worten frech; mit reden / viel zu frey;
Der stådte grauß / das leichen volle feldt /
Der schiffe brandt / das Meer durch blutt verstellt. 530
Die Schwartze Zauberkunst /

512 C durch Reden herrschen – Diese Textvariante ist von besonderer Bedeutung. Siehe dazu Barner, »Gryphius und die Macht der Rede«, S. 333 ff.

524 Vgl. Sprüche 18, 21: Tod und Leben stehen in der Zunge Gewalt; wer sie liebt, wird ihre Frucht essen. Vgl. auch 1. Kön. 13, 4: Als aber der König das Wort von dem Mann Gottes hörte, der gegen den Altar zu Bethel rief, streckte er seine Hand aus auf dem Altar und sprach: Greift ihn! Und seine Hand verdorrte, die er gegen ihn ausgestreckt hatte.

Der eiteln Lehre dunst /
Die macht durch gifft / den Parcen vorzukommen:
Der Vôlcker grimmer haß / der vngehewre Krieg.
Der zanck der Kirch' vnd Seelen eingenommen /
Der Tugend vntergang / der grimmen Laster sieg /
Ist durch der zungen macht gebohren:
Durch welche Lieb vnd trew verlohren.
Wie manchen hat die Zung' in seine grufft gedrungen!
Deß Menschen Todt beruht auff jedes Menschen zungen.

Zusatz.

Lernt / die jhr lebt / den zaum in ewre Lippen legen!
In welchen heil vnd schaden wohnet /
Vnd was verdammt / vnd was belohnet.
Wer nutz durch wortte such't / sol jedes wort erwegen.
Die Zung ist dieses Schwerdt
So schůtzet vnd verletzt.
Die flamme so verzehrt
Vnd eben wol ergetzt.
Ein Hammer welcher bawt vnd bricht /
Ein Rosenzweig / der reucht vnd sticht /
Ein strom der tråncket vnd ertråncket:
[18] Die Artzney welch' erquickt vnd krâncket.
Die bahn: auf der es offt gefehlet vnd gelungen.
Dein Leben / Mensch / vnd todt hålt ståts auf deiner Zungen.

550 *Ein Rosenzweig / der reucht vnd sticht:* was hier für das Menschenwort gesagt wird, wendet Gryphius auch auf das ›verbum incarnatum‹, auf Christus an. »Sonette«, IV,27,13 f.:
»Er ist den Rosen gleich / sein Zepter stårckt und bricht
Gleich wie ein Rosen-Zweig wol reucht / und hefftig sticht.«

554 Günther Müller, »Deutsche Dichtung der Renaissance und des Barocks«, Potsdam 1930, S. 206, weist hin auf eine Parallele aus Harsdörffers »Frauenzimmer Gesprächsspielen«: »Mit einem Wort zu sagen, Leben und Tod ist in der Zunge Mächten.« Auf antike und emblematische Quellen zu dieser Zeile verweist A. Schöne, »Emblematik und Drama«, S. 161 f.

Die Andere Abhandelung.

Der Erste Eingang.

Leo. Michael. Die Richter.

Wer auf die rawe bahn der ehren sich begiebt /
Vnd den nicht falschen schein der wahren tugend liebt;
Wer vor sein Vaterland nur sterben wil vnd leben /
Vnd meynt verdienten danck von jemand zu erheben:
Wer sich auf's schwache gold deß schweren Zepters stützt / 5
Vnd auff die Hertzen baw't / die er in noth geschütz't.
Die er aus schnöden staub in höchsten ruhm gesetzet.
Der komm' vnd schaw' vns an! hatt vns ein liecht ergetzet
Von erster jugend an! da man den Spieß ergrieff
Vnd in die dicke schaar der grimmen feinde lieff. 10
Da wir mit blut besprütz't / vol ruhmbs-verdienter wunden.
Verschränckt mit stahl vnd todt den ersten nahmen funden /
Da funden wir auch neyd. wer mit entblöstem schwerd
Der Römer Heer getrotz't wer Länder vmbgekehrt:
Die vnser schild bedeckt: erschrack ob vnsern siegen. 15
Wer neben vnß vmb Ruhm must' in den zelten liegen
Vnd suchen / was vns ward; verkleinerte die schlacht
Die Palm' vnd Lorberkräntz' auff dieses Haupt gebracht.
So wird die erste flamm' / eh'r sie sich kan erheben /
Mit dunckel vollem dunst vnd schwartzen Rauch vmbgeben. 20
Biß sie sich selbst erhitz't vnd in die bäwme macht /
Daß der noch grüne wald in liechtem fewr' erkracht.
Doch wie der scharffe Nord / die glut mit tollem rasen /
In dem er dämpffen wil / pflegt stärcker aufzublasen /
Wie ein großmütig Pferd / wenn es den streich empfindt 25
Durch sand vnd schrancken renn't: so hat der strenge windt
Der mißgunst / vnß so fern; (trotz dem es leid!) getrieben /
Biß vnter diesem Fuß sind feind' vnd freunde blieben.
[19] Biß Thrax / vnd Saracen' vnd Pontus vnsern fleiß /

15 BC unserm

Vnd stets bewehr'ten Arm / vnd kummer vollen schweiß / 30
Mit Vrtheil angeschaw't: der Agarener hauffen
(Das schrecken dieser zeit:) begundten anzulauffen
Was Römisch sich erklårt; das hochbestůrtzte Land
Erzitterte vor angst / als der geschwinde brand
Der waffen vns ergriff! wer hat sich nicht entsetzet? 35
Als auch ein Held erblast? doch vnß hat nie verletzet
Der blitz zaghaffter furcht. O tag! berůhmbter tag!
Den diß was Athem zeucht, was kůnftig / preisen mag!
In welchem diese Faust der Våter siegeszeichen
Gleich in dem Fall erhielt / da mit zwey tausend leichen 40
Der Arm / der grimmen Pest der Erden dargethan /
Daß tugendhafftes glůck hålt' vnter vnser fahn.
Doch: als dis milde blutt das grosse Land gebawet /
Hat vns der Keyser selbst mißgůnstig angeschawet:
Vnd als dem Bulgar vnß das Reich entgegen schickt 45
Vnß beystand: Sold dem Volck: sich selbst dem Thron entzůckt.
War ist es: Crummus hat das feld mit mord beflecket /
Vnd flammen in die Saat / glutt in die Statt gestecket
Doch / durch nicht vns're schuld. Es war numehr geschehn
Das vnterdruckte Volck begundt' auf vnß zu sehn / 50
Der / der jtzt vor euch steht zwang mit entblöß'tem degen

31 *Agarener:* Hagarener, Söhne der Hagar, Magd Saras, Mutter des Ismael, Ahnfrau arabischer Wüstenstämme (1. Mos. 25, 12 ff.). Verweis auf die Angriffe der Araber auf die byzantinische Ostgrenze. Die gefährlichste Belagerung Konstantinopels unter Suleiman 717/18 endete lange vor der Zeit der historischen Quellen unseres Stücks mit einem Sieg des damals vom Bulgarenkhan unterstützten Byzanz. Zur Regierungszeit von Leo Armenius hatte Byzanz sich aber verschiedener arabischer Angriffe in Kleinasien zu erwehren.

37 C Verzagter Furchten Blitz

47 *Crummus:* Der Bulgarenkhan Krum rückte nach dem Sieg bei Versinikia, der Michael I. Rhangabe den Thron kostete und zur Herrschaft des Leo Armenius führte, bis vor die Mauern Konstantinopels. Nach dem plötzlichen Tode Krums konnte sich Byzanz mit dessen friedliebendem Sohn Omurtag einigen auf eine Grenzziehung zwischen dem Unterlauf der Donau und der Nordküste des Marmarameeres bzw. der Ägäis.

Vnß diß bestein'te Kleid / den Purpur anzulegen /
Wie hoch wir vns gewehr't! der Keyser stund es zue
Vnd schickte von sich selbst vns die gestůckten Schue.
Wir haben denn die bůrd' auf diesen Halß geladen 55
Die vnertråglich schien' / wir haben schmach vnd schaden
Vnd vnruh' abgethan / den Bulgar außgetag't /
Den Agaren gedåmpfft / der Scyten Heer gejagt /
Der stoltze Crummus kam mit so viel tausend heeren /
Als wolt er See vnd Land / wie jener Pers' aufzehren. 60
Doch lehrt jhn vnser Schwerd / daß eines Helden muth
Mehr måchtig / denn der Blitz / denn die geschwinde flutt /
Deß strengen Isters sey: daß auch zwőlfftausend hauffen
Erschreckt durch einen Mann / versuchten durch zu lauffen.
Sein elend stellt' jhm vor was Rőmisch fechten sey. 65
[20] Alß er voll wunden fiel'. alß jhn die ohnmacht frey
Von vnserm degen macht / Wem haben wir versaget
Was Sitt vnd Recht versprach; wer hat vmbsonst geklaget?
Weil dieses Har gekrőnt? wurd jemand nicht ergetzt /
Der seine noth entdeckt? wen hat diß schwerd verletzt 70
Den es nicht schuldig fand? das dieser offt verschonet
Nach den die straffe grieff! blieb einer vnbelohnet
Der vnß zu dienste stund? doch such't man vnsern todt!
Vnd wetzt das Schwerdt auf den / dem / in des Landes noth
Gott / Priester vnd gesicht' den hohen Thron versprochen / 75
Vnd du / du Michael hast eyd vnd trew gebrochen
Dem / dem du stand vnd Ehr vnd dich zu dancken hast.
Trewloser! haben wir dich auf die schoß gefast?
Verråther! aus dem koth! hat dich der Arm erhaben?
Vndanckbar Hertz? hat dich die faust mit tausend gaben 80
Meineydig mensch! bestrewt? gab ich dir hund das schwerdt /
Das du von meinem Feind' auff diese brust gekehrt!

54 *die gestůckten Schue:* die gestickten Schuhe, Zeichen der Herrscherwürde.

75 *Gott / Priester vnd gesicht':* letzteres bezieht sich auf die Weissagung einer mondsüchtigen Sklavin. Siehe Cedrenus, ed. Bekker, II,51, und Zonaras, ed. Dindorf, XV,20.

Vergab man / mo̊rder / dir so offt dein freches wůtten?
Das dir den grim erlaubt auf einmahl außzuschůtten?
Hat vns're langmut diß: hat vns're gunst verdient /
Daß du verfluchter! dich zu dieser that erkůhnt /
Die auch der feind nicht lob't / wolan dann! weil die gůte
So ůbel angelegt / weil dein verstockt gemůte
Durch keine freundligkeit zu zwingen / weil die Pest
Durch linde Mittel sich nicht von dir treiben låst /
Weil wolthat dich verderbt / so fůhle brand vnd eisen /
Man sol der grossen welt ein newes schawspiel weisen /
Wie hart' verletzte gunst / vnd offt vergeb'ne schuld
Vnd eingewig'te rach vnd hochgepochte huld /
Wenn rechte zeit einbricht / erschůtter' vnd zubreche!
Was stammelt nun der hundt? last ho̊ren was er spreche
Der nichts denn låstern kan! was wird er sagen? ho̊r't!
M i c h. war ist's / daß Michael wol reden nie gelehr't!
War ist's daß ich mich auch zu heuch'len nie beflissen.
Doch was dir meine Faust genůtzt / wird dein gewissen!
Entdecken / ob ich schweig. Erzehle deine That /
Doch auch / daß dessen Faust befo̊rdert deinen Rath
Der mit dir / vnd fůr dich in stahl vnd staub gestanden
[21] Vnd in der schlacht geschwitzt: Man darff / als schwere schanden
Nicht den geringen standt vnd schlechter Eltern blutt
Verho̊hnen: meine Seel / mein nie verzagter mutt
Spricht vor mich. Tugend wird vns nicht nur angebohren:
Wie vieler Helden ruhmb hat sich in nichts verlohren?
Deß Vatern tewres lob verschwindet mit dem geist.
Wann nun der bleiche todt vnß in die gruben reist /
So erb't der edle Sohn die waffen; nicht die Stårcke:
Denckt nicht an meine wort: schaw't auf der Armen wercke
Der Armen / die diß Reich mit starcker krafft gestůtz't
Die Armen haben dich (betracht es nur) geschůtz't
(Betracht es nur mein Fůrst!) da so viel tausend degen
Vmbschrenckten dein gezelt' / wer halff das Volck bewegen
Das dich zum Haupt aufwarff? wer hub dich auf den Thron?

Der dich nicht zweifeln ließ' / als du der grossen Cron
Schier deinen Kopff' entzückt't / der Keyser hieß dich
kommen /
Vnd wiech auß dieser Burg / die du zwar eingenommen 120
Doch alß ich bey dir stund. Hast du den feind geschreckt:
So dencke / daß mein Schwerd in seiner brust gesteckt.
Auch geb' ich gerne nach / daß ich durch dein erheben
Was höher kommen sey! doch: kanst du dem was geben
(Verzeih' es / was die noth mich dürr' außreden lehr't) 125
Daß dieses auffrucks werth / der / so dein gutt vermehrt /
Daß du diß geben kanst? laß offentlich erzehlen
Was ich von dir empfing: es wird noch hefftig fehlen
Daß deinem Keyserthumb mein ampt zu gleichen sey.
Vnd deiner Cron mein Helm! vnd beydes stund mir frey / 130
Als ich dir vberlies was ich ergreiffen können
Als ich dir diesen stuel / vnd mir nicht wollen gönnen:
Vnd gönn' jhn dir noch jtzt. Man klagt mich gleichwohl an!
Warumb? vmb daß ich offt ein wort nicht hämmen kan /
Wenn ein verräther mich so hündisch reitz't vnd locket / 135
Wem hat Verläumbdung nicht ein mordstück' eingebrocket?
Kan jemand ohne fall auf glattem Eyß bestehn?
Wenn Jhn der neyd anstößt? Wer muß nicht vntergehn /
Wenn die ergrimmten Wind erhitzter Lügen blasen?
Wenn die erzürnten Stürm' vntrewer Zungen rasen? 140
[22] Die wütten wider mich! die schaden meiner Ehr!
Vnd tödten meinen Ruhm! Erlangen sie gehör?
Belohnt man trewen dienst mit schmach vnd harten ketten!
Wil den / durch den er stund / der Fürst zu boden tretten.
So ists mit mir gethan / vnd eine Zunge schlegt 145
Den / den kein grimmes schwerdt / kein scharffer pfeil
erlegt.
I. Richt. Nicht eines Menschen mundt / nicht zwey nicht
drey par ohren

121 C erschreckt
147 B Man glaubt nicht falscher Zung' Vnd vmbgekaufter Ohren
C Was Zung? Verläumbdung? List? Welch' umbgekauffter Ohren?

Erweisen / daß du dich aufs Keysers tod verschworen.
Der Hoff / die grosse Statt / das gantze Låger lehrt
Was man von Fůrsten mord dich stůndlich rasen hőrt.
M i c h. Gesetzt / doch nicht bekandt / daß mir in zorn
entgangen
Was man so eyvern wil: es hat doch mein verlangen
Nie wůrcklich deinen Thron / nie deinen todt begehrt:
Man hat mit frembder schuld die feste trew beschwert.
L e o. O recht verkehrte trew: wo ist die trew geblieben!
M i c h. Mein blut hat diese trew' ins buch der zeit
geschrieben.
L e o. Dein Blut das jeden tag nach vnserm blute tracht.
M i c h. Mein blut das so viel jahr hat fůr dein blut gewacht.
L e o. Gewacht nach meinem tod. M i c h. den ich vor dich
zu tragen
War willig je vnd je. L e o. nicht eins ist thun vnd sagen.
M i c h. Ich sagts vnd thats / als ich mein blut vor dich
vergoß.
L e o. Auß noth / auß eignen Ruhm. M i c h. das vor den
deinen floß.
II. R i c h t e r. Diß dient' der sachen nicht / antwort' auf
was wir fragen!
M i c h. Fragt meine wunden dann die diese brůßte tragen.
Fragt feinde / fragt den Parth / den Bulgar / Scyth vnd
Franck.
III. R i c h t. Diß Laster macht zu nicht vorhin erlangten
danck.
M i c h. Diß laster thut hier nichts: verleumbdung wird vns
zwingen

148 C Hast du dich Mőrder nicht aufs Keysers tod verschworen
C Zwischen 150 und 151 sind folgende Verse eingefügt:
II. R i c h t. Was geyfert nicht sein Maul? soll diß entschuldigt
heissen?
Soll man die Zunge dir nicht aus dem Nacken reissen?
Entdeckt die Red' uns nicht sein rasendes Geblůtt?
Was hålt uns långer auff? er bringt sein Vrtheil mitt!
151 C Gesetzt / daß mir aus Zorn und Unbedacht entgangen

IV. Richt. Verleumbdung die allein dein mund weis vor
zu bringen.
[23] Mich. Verlåumbdung liebt kein mund der freye
freyheit lieb't.
V. Richt. Der Arm ist fest der leicht dem munde beyfall
giebt. 170
Mich. Man stőßt offt aus im zorn / was man nie vorge-
nommen.
VI. Richt. Wir wissen sonder zorn dem vorsatz vorzu-
kommen.
Mich. Wer lebt ohn alle feill! wer hat sich stets bedacht?
VII. Richt. Der / der zu hoch nicht pocht auf seiner
hånde macht.
Mich. Wer lebt / der jrrt vnd fållt. VIII. Richt. Wer
frevelt der mag leiden. 175
IX. Richt. Wir kőnnen laster wol von Irthumb vnter-
scheiden.
Mich. Ja laster! wenn man die auß allen winckeln sucht!
Leo. Du bist es denn der vnß nur in dem winckel flucht?
I. Richt. Was ist es suchens noth wenn nun kein orth zu
finden.
Der rein von deiner schuld / dein offenbar verbinden / 180
Der Zeugen gantze schar / dein anhang bringt ans licht
Was in dem Busen steckt. Mich. was mir der haß andicht.
Leo. Wer ists der vnß das schwerd wil durch die adern
treiben?
I. Richt. Wer ists ohn den das Reich nicht kan bey
kråfften bleiben?
II. Richt. Wer ists auf dem die last der schweren Krone
steht? 185
III. Richt. Wer ists ohn dessen werck deß Keysers heil
vergeht?
IV. Richt. Wer ists der Fűrsten kan mit seinem fall
erdrűcken?
V. Richt. Wer ists der Fűrsten weiß ins kalte grab zu
schicken?

VI. Richt. Dem Phocas / dem Iren' so grosse sinnen macht?
VII. Richt. Vor dem der tieffe grund der grossen Erd erkracht?
IIX. Richt. Der lieber einen tag begehrt gekrȯnt zu leben!
[24] Als in dem hȯchsten Ruhmb vnd tieffer lust zu schweben!
IX. Richt. Was sprach dein mund nicht stracks / als man dich ůberfiel?
Mich. Nichts ůbels. wenn mans nicht zum ȧrgsten deuten wil.
I. Richt. Wir wissen wer dir hůlff vnd beystand hat versprochen.
Mich. Der sucht nicht hůlff vnd schutz der nie den Eyd gebrochen?
II. Richt. Alß nur mit dieser that! Mich. vnd welche klagt jhr an?
I. Richt. Bekenn es. Mich. Wer bekenn't was er nicht kennen kan?

192 BC tiffster
195 B Wo stehen nun die Hůlff vnd Beystand dir versprochen?
195–198 fehlen in C, statt dessen dort:
X. Richt. Nichts arges! jeder Wortt hat Zang und Pfahl verdinet.
Mich. Weil ich was freyer nur zu reden mich erkůhnet.
II. Richt. Vnd nach des Fůrsten Tod und seinem Thron getracht
Mich. Die aller schärffste Gifft ist rasender Verdacht
III. Richt. Hat niemand Beistand dir zu diser Thurst versprochen?
Mich. Den Beystand suche der / der Eyd und Trew gebrochen
IV. Richt. Meinst du / daß unentdeckt. Wer mit dir in dem Bund?
Mich. So weist du mehr dann ich. VI. Richt. Versich're dich; der Grund
Ligt nicht so tiff; daß ihn nicht unser Bleymaß fůhle
Mich. Grund hats; daß man allhir auff mein Verderben zihle.
I. Richt. Stracks; Peinbanck / Strick und Brand! Mich. Wol! wolt ihr daß ich lig;
Mit frembder Vnschuld spill' / und Recht und Welt betrig?

I. R i c h t. Man sagt durch pein gepreß't was man nicht sagt
mit gůte.
M i c h. Die Folter ůberwand kein vnverzagt gemůte. 200
Bedenckt wol was jhr thut? Ich steck in solcher noth
In die jhr sincken mo̊gt / mein Leben / heil / vnd todt
Beruht in ewrer Hand. Heist mich der mund verderben:
So last durch meine Faust mich selbst das end' erwerben:
Vnd heil dem gantzen Reich! Ich wil entgegen gehn 205
Den Feinden / die gerůst auf vnser gråntzen stehn
Ich wil / biß auf den fall mit Scyt vnd Parthe kåmpffen.
Ich wil der Bulgar trutz mit diesem blute dempffen.
So breche was sich dir mein Fůrst entgegen setz't!
So schwinde was dein Reich / was diesen Stat verletz't. 210
So dien' euch wenn ich hin auch meine blasse Leiche /
So blůhe fůr vnd fůr dein Hauß vnd Stamm. L e o.
entweiche.

Der Ander Eingang.

Leo. Die Richter.

L e o. Das wild ist in dem garn! sein vntrew grim vnd schuld
Bricht offentlich hervor. die Gůtte der geduldt
Die er so offt gepocht rufft starck nach recht vnd rache. 215
[25] Was důnckt Euch zu dem fall? I. R i c h t. Es ist ein
ernste sache
Vnd ůberlegens werth. Wenn man sein wort betracht
Das er nicht leugnen kan / wenn man der waffen macht
Die jhm zu dinste steht / wenn man sein vieles schmehen
Vnd offt-vergebnen fall was nåher wil besehen: 220
So ist es mehr denn klar daß er den Halß verschertz't
Wenn man im gegentheil den grossen muth behertz't /
Den vnverzagten sinn; die Ruhm verdienten wunden /
Durch die er so viel gunst bey so viel Seelen funden;
Ja weil noch nicht entdeckt / wer sich mit jhm verband 225

215 C Vnd die gepochte Gnad rufft

Weil er mit wortten nur / nicht mit bewehrter hand
Gefrevelt / dunckt mich sey es mehr denn hoch von nôthen
Zu dencken / wie / vnd wo. vnd wann er sey zu tôdten.
Sol jhn das leichte volck sehn auf den Richtplatz gehn
Gebunden vnd geschleifft. sol er gefâsselt stehn
Da wo man tausend Heer / vnd tausend růhmen hôren
Sein offt bekrântz'tes Haupt / da er mit hôchsten ehren
Nur nicht den Thron bestieg? diß sieht gefâhrlich auß!
Wird das bewegte Volck / vnd die so seinem Hauß
Durch gunst vnd nutz verknůpfft diß ohn' entsetzung
schawen?
Was wird das Lâger nicht / auf das er pflegt zu trawen /
Das jhm zu dinste steht; was wird die frembde macht
Die / was er hieß verricht / vnd der so vmb vns wacht
Bey diesem fall nicht thun? was werden die nicht wagen
Die zweyfels ohn verpflicht hand mit jhm anzuschlagen?
Glaubt diß; wer bey jhm hâlt / wer in dem bunde fest
Wird suchen was die noth / was hoffnung suchen lâst /
Vnd warumb wil man nicht zuvor durch strenges recken
Jhn zwingen vns den grund deß anschlags zu entdecken?
II. Richt. Er hat den todt verdient. ein jeder gibt es zu!
Er sterbe! Morgen? ja! jhr sagts! warumb nicht nu?
Man eylt hier nicht zu viel. wann man so hart beladen:
Kan auch ein augenblick mehr denn ertrâglich schaden.
Er ist noch keiner that / (so spricht man) ůberzeugt!
Er ist vmb wort in hafft. der / den der Rauch betreugt
Irr't trefflich sonder liecht! wol't jhr sein werck besehen /
So seht auf seinen mund. wo fern so grimmes schmehen
Noch keiner straffe werth: so stelt euch endlich vor
[26] Daß er auffs Keysers todt leichtfertig sich verschwor.

253/254 fehlen in C, statt dessen dort:
Der vor dem Richtstul selbst / noch Fůrst und Râthe pocht /
Vnd lauter Gall und Gifft in tůckschem Hertzen kocht.
Ist diß wol je erhôrt wofern sein grimmes Schmehen /
Noch keiner Straffen wehrt; wo was vorhin geschehen /
(Geschehn und doch verzihn) euch nicht ermuntern kan:
So schawt des Kâysers Haupt und eure Leiber an.

Wolt jhr / biß daß der Fürst durch seinen mord geblieben / 255
Biß jhr mit jhm erwürgt / das lange Recht aufschieben?
Verziht biß Michael die straffe recht verdien!
Glaubt man den Printzen nichts von aufruhr / biß sie hin?
III. Richt. Das Volck / es ist nicht ohn / ist leichtlich zu bewegen.
Doch darff man in der Statt kein newes blutrecht hegen. 260
Der ort gesetzter pein / das Leichenvolle feldt
Da vor gemeine schuld man pfahl vnd holtz aufstelt.
Der trůben hőrner klang / der Hencker mord geprånge
Schreck't geister sonder witz / ist vnß der hoff zu enge?
Man straffe wo gefehlt. der Fůrst. dem wenig gleich 265
An tugend / sieg vnd ruhmb / der dieses grosse Reich
Den Stuel / diß newe Rom / auf alten grauß versetzet.
Hat / alß jhn auf sein Blutt das geyle Weib verhetzet.
Die Muttter / die jhr Kind / nicht můtterlich / geliebt
Von Heilgem zorn entbrandt / hier rechte rach verůbt. 270
Auf seine wort / verging in siedend heissem bade
Die brandstått toller brunst / die fraw der Lånder schade /
Der Menschen hohn vnd fluch / der schandfleck jhrer zeit
Der grewel der Natur / den jedermann anspey't.
Vnd jedes Kind verflucht. Man kan nicht strenge schelten / 275
Nicht new' / vnd vnerhőrt was Constantin hies gelten.
IV. Richt. Man schlågt die folter fůr! ich achte / sonder nutz!
I. Richt. Die strenge frage dempft der hohen geister trutz /

258 C Glaubt man von Auffruhr nichts biß Reich und Zepter hin
265–274 Diese Zeilen beziehen sich auf Fausta, die Gemahlin Konstantins des Großen, des Begründers von »Nea Rhome«. Fausta liebte ihren Stiefsohn Crispus und soll ihn, da sie keine Gegenliebe fand, beim Kaiser verklagt haben.
272 C das Weib der Lånder Schaden
277–279 fehlen in C, statt dessen dort:
I. Richt. Heischt man die Folter nicht? IV. Richt. Ist seine Schuld nicht klar
Was sucht man erst durch Pein / was mehr denn offenbar
I. Richt. Die strenge Frage kan den Trotz der Geister dåmpfen

IV. R i c h t. Nicht stets / bey jedem nicht: hie wird vnß glůend eisen /
Pech / fackel / siedend ől vnd bley kein mittel weisen
Zu finden was man sucht. I. R i c h t. Viel haben viel bekand /
Gedrångt durch flam' vnd strick. IV. R i c h t. viel haben streich vnd brand
Vnd schraub vnd stein verlacht. last jhn auf råder strecken!
Ich zweifel ob er vnß aufrichtig werd entdecken
Was uns zu forschen noth! V. R i c h t. Man kan nicht sicher gehn
Auf grůnden die allein fest auf der folter stehn.
Wer weiß nicht daß man offt / auß haß / auß lust zu leben
[27] Den / der nicht schuldig war vnredlich angegeben?
I. R i c h t. Philotas / als das blut auß allen gliedern floß
Gab / wie behertzt er war / sich scharffen geisseln bloß /
VI. R i c h t. Hat Hippias nicht selbst der freunde sich beraubet:
Als er dem falschen schwur deß hart-gequålten glaubet?
Man rűmbt das weib von Rom / die sich zureissen ließ /
Vnd die / die in der quaal die zung' in stűcken bieß /
VII. R i c h t. Wie? wenn er allen grim der Marter ůberwůnde!
Vnd steiff vnd vnverzagt auf trotzem schweigen stűnde?
Denckt was das auff sich hab'. VIII. R i c h t. auch scheint es / wenn die pein.
Nach hohen Kőpffen greifft: als fiele zweifel ein.

(Fortsetzung 277–279)
IV. Ein hoher Geist pflegt offt mit Noth und Quall zu kåmpffen
I. R i c h t. Zu kåmpffen; doch biß ihm der grause Schmertz obsigt
V. R i c h t. Wo durch verstockten Mutt der Schmertz nicht unterligt
VI. R i c h t. So ists auch glaub' ichs hir / es werd uns glůend Eisen.

291 Der Peisistratide Hippias, Tyrann von Athen, ließ Aristogeiton, den Mörder seines Bruders Hipparch, foltern, um die Namen der Mitverschworenen zu erfahren. Aristogeiton gab die Namen der Freunde des Hippias an, die daraufhin getötet wurden.

Als wenn die schuld nicht klar / alß were man bemůhet
Vmb vrsach jhrer noth / die man vor augen siehet. 300
Die er nicht låugnen kan. wo jemand bey jhm hålt
Dem wird sein vntergang zuschrecken vorgestellt:
Das måchtig in den weg / die so verirr't zu bringen
Die sein entdecken leicht kan ins verzweifeln dringen /
Verzweifeln zu was mehr. IX. Mit kurtzem; was jhr thut / 305
Thut bald. anfånglich låscht / vielmehr ein tropffe blut
Denn eine fluth zu letzt. I. R i c h t. Ich stim' es. II. Ich.
III. wir alle.
IV. Vnd wir. V. Wer sich zu hoch erheben wil der falle.
VII. Setzt jhm den Holtzstoß auff. VIII. Dem Morder.
IX. plôtzlich. VI. bald.
I. Er brenn' vnd seine pracht / die rasende gewalt 310
Vergeh' in Asch'. II. Er brenn'. III. Er bren'. IV. Er brenn'
vnd schwinde!
V. Vnd werd' ein dampff der lufft vnd gauckelspiel der
winde.
L e o. Jhr schliesset seinen todt. VI. den långst verdien'ten
lohn.
L e o. Verfaßt den Spruch! Er sterb alhier mit minder
hohn.
Vnd mehrer sicherheit! der vns das Leben giebet 315
Der durch die Hertzen sieht / weiß wie wir jhn geliebet:
Er kennt' der alles kennt' wie hoch wir jhn belohnt!
Wie offt wir seiner schuld auß trewer gunst verschon't.
Wie stoltz Er vnß gepocht! wie frech Er vnß gefluchet /
Wie offt er seinen Ruhmb durch vnsre schmach gesuchet. 320
[28] Wie hart sein vntergang vnß diesen geist beschwer'
Wie scharff sein herber todt vnß Hertz vnd Seel außzehr'
Doch jhr: diß Reich! das Recht: vnd vnser blut vnd leben /
Die zwingen vnß den Mann den flammen hin zu geben.
R i c h t e r. das Vrtheil ist gestell't! rufft den beklagten
ein! 325
L e o. O Wechsel dieser zeit! verkehrte pracht in pein!

Der Dritte Eingang.

Leo. Die Richter. Michaël.

I. Richt. Nach dem der grosse Rath deß Michaels verbrechen
Vnd laster ůberlegt / Mich. Hȯrt mich ein wort außsprechen
Eh' jhr das Vrtheil fållt. II. Richt. du bist genung gehȯrt!
Mich. Ach Himmel! I. Richt. wird erkenn't; weil er sich offt empȯrt.
Vnd vnruh angestifft / der Cron sich widersetzet.
Den Fůrsten hart geschmåht / die Majeståt verletzet /
Deß Keysers todt gesucht! daß er mit fuß vnd hand
Gefåsselt an den Paal werd offentlich verbrand.
Doch hat der Fůrst vmb jhn der schmach zu ůberheben:
Daß auff der Burg die Straff erfolge: nachgegeben.
Mich. Ach! hab ich mich gefȯrcht vor diesem strengen todt!
VI. Richt. Nicht strenger als die schuld! Mich. O vnverdin'te noth!
Ach angewåndter dienst! ach gar zu eitel hoffen!
VII. Richt. Die Rach' hat vnverhofft den rechten zweg getroffen.
Was hålt vnß långer auff: stracks! Diener greifft jhn an.
Mich. Hilff himmel! bin ich der / der so vergehen kan!
Wo ist mein hoher ruhmb? ist alle gunst verschwunden?
[29] Ken't mich der Fůrst nicht mehr! wird nun kein freund gefunden
Der vor mich bitten darff! kom't feinde! kom't vnd schawt
Wie dieser Armen macht vor welcher euch gegrawt
Wie der / der ewer Reich mit schrecken hat beweget /
Der furcht in ewrer Fest' vnd Seelen hat erreget:

328 C Bedachtsam ůberlegt. Mich. Nun Gott du wirst es rechen
329 C Vergȯnt mir noch ein Wort!
331 C Trotz mit Verdacht gesteifft
334 C Pfahl verbrenn' auff offnem Sand
341 C Eilt / fůhrt das Vrtheil aus!

So jämmerlich verfall. Jhr grausen geister rufft /
Rufft frölich über mir! zu brecht die feste grufft / 350
In die euch sterben schleußt! kom't längst-erblaß'te Helden!
Die diese Faust entseel't. Helfft durch gantz Persen melden:
Das allzuhartes Recht! daß haß vnd toller neydt
Den holtzstoß auffgesez't / auf dem die tapfferkeit /
Vnd tugend / vnd was wir den grund der Throne nennen; 355
Ein vnverzagtes Hertz / wird mit mir jetzt verbrennen.
I. Richt. Nun fort! Mich. Ach noch ein wort.
II. Vmbsonst. Mich. Ein wort mein Fürst.
Ein wort Leo. sag an. Mich. Dein Knecht den du vertilgen wirst /
Vorhin dein rechter Arm! vorhin der Feinde zittern.
Eh' jhn deß Himmels zorn mit schweren Vngewittern 360
So grausamb überfiel / sinckt vor dir auf die Knie /
Vnd wündscht / (nicht daß man jhn dem vntergang entzih'.
(doch ach! wo denck ich hin!) er wündscht / nicht daß man mind're
Der langen marter grim / daß man die schmertzen lind're.
Er wündsch't vor so viel dienst nur ein kurtze zeit! 365
Man gönn' in dem mein grab / die flamme / wird bereit /
Daß ich zu guter letzt an meine Kinder schreibe:
Vnd lehre / durch papier / wo ich / jhr Vater bleibe.
Wofern dein hoher zorn / nicht wil daß es gescheh'
Daß ich die süsse schar vor meinem ende seh. 370
II. Richt. Er such't nur außflucht! Mich. Ach! wie wolt' ich doch entflihen!
II. Richt. Ich sag er wil der Pein durch aufschub sich entziehen.
Mich. Die zeit ist viel zu eng / zu einer solchen that.
III. Richt. In einem augenblick schafft offt die boßheit rath.
Mich. Der / den die boßheit schreck't / muß stets in argwohn zagen. 375
[30] IV. Richt. Wer schon verzweifelt ist / wagt was er nur kan wagen /

M i c h. Wo Liebe / die Natur in ewrem blut erweck't /
Wo wahre Vatertrew euch jemals angesteckt:
Mein fůrst! wofern du denckst den scho̊nen tag zu schawen
An welchem du die Kron wirst deinem Sohne trawen:
So weig're deinem Knecht / die jůngste bitte nicht.
L e o. Vns ist nicht vnbekand was dein gemůtte dicht!
Die straffe wird geschwecht durch aufschub / weil die Rache
Als schlummernd sich verweil't / sucht eine bo̊se sache
Hier vorbitt / Anhang dort: vnd steckt mehr Hertzen an;
Als man mit linder gůtt vnd schårffe heilen kan.
Dennoch / damit kein mund mit warheit sagen ko̊nne:
Als ob man dir auß haß so kurtze frist mißgo̊nne:
Wird diese bitt' erlaubt. Er werd' in Kårcker bracht;
Gebt vnderdessen starck auf Thor vnd schlo̊sser acht.

Der Vierdte Eingang.

Leo.

Diß ist's was Wir vnd Er so lange zeit gesuchet!
Itzt fůhlt sein geist was vnß sein frecher mund gefluchet!
So recht! Er ist gestůrtzt! das heißt den Thron gestůtz't.
Den feind in grauß zermalmmt / sich vnd sein blut geschůtz't /
Den vndanck abgestrafft / den frevel ůberwunden
Den Neyd in koth gedruckt / Verleumbdung angebunden.
Itzt sind wir Herr vnd Fůrst / vnd fůhren Cron vnd stab /
Vnd halten in der Faust was vns der Nahme gab /
Wir / die ein Knecht vorhin vnd diener vnsers Sclaven.
Itzt sinckt sein Kahn zu grund / vnd Leo find't den Haven!
So donnert wenn man euch nach Cron vnd Zepter steht
Jhr die jhr vnter Gott / doch ůber Menschen geht.
Hier spiegelt euch / die jhr zu dienen seyd gebohren;
Vnd den / der herrschen sol / wol't leiten bey den ohren.
Verwegenheit greifft offt dem Lo̊wen in die har /
Doch wenn sie sicher wird / vnd jhn nun gantz vnd gar
Vor einen Hasen schåtzt / låst er die scharffen klawen

Den auffgesperr'ten schlund / die hartten zåhne schawen.
[31] Vnd reiß't was auf jhn tratt! wie tho̊richt aber ist
Der ůber tausend schaff't / vnd einen auß erkiest. 410
Dem er sein gantzes Hertz / vnd alle wůndsch' entdecket
Vnd die gewalt vertrawt / mit der er Lånder schrecket /
Vnd letzlich Fůrsten selbst wer jemand auff den Thron
An seine seiten setz't ist wůrdig daß man Cron
Vnd Purpur jhm entzih'. Ein Fůrst vnd eine Sonnen 415
Sind vor die welt vnd Reich'. Hat je ein Heer gewonnen
Das mehr denn einer fůhrt. Jedoch was reden wir?
Wem traw't man! wandeln wir alß frey von angst alhier /
Weil er noch Athem scho̊pfft durch dessen todt wir leben?
Hochno̊tig; daß wir selbst / perso̊nlich achtung geben / 420
Wie diese Pest vergeh' / vnß hat die zeit gelehr't
Daß der betrogen wird / der nicht mehr siht als ho̊rt.
Vnd daß kein schawspiel sey so scho̊n im rund der Erden:
Alß wenn / was mit der glutt gespiel't / muß Aschen werden.

Der Fůnffte Eingang.

Leo. Theodosia.

Theo. Mein licht! Leo. Mein trost! Theo. Mein Fůrst!
Leo. Mein Engel Theo. Meine Sonn'. 425
Leo. Mein Leben. Theo. Meine lust! Leo. Mein auffenthalt vnd wonn'.
Wie so betrůbt mein Hertz! Theo. was hat mein Fůrst beschlossen?
Ach leider! ist nunmehr nicht bluts genung vergossen?
Leo. Nicht bluts genung / wenn man nach vnserm blute tracht.
Theod. Durch blut wird vnser Thron befleckt vnnd glatt gemacht. 430
Leo. So trågt ein frembder schew denselben zubesteigen.
Theod. Vnd er muß endlich sich auf nassen grunde neigen.

L e o. Die nässe trucknet man mit flam' vnd aschen aus.
T h e o. Die leichtlich vnser Hauß verkehrt in staub vnd graus.
L e o. Diß Hauß wird stehn / dafern deß Hauses feinde fallen. 43.
T h e o. Wo nicht jhr fall verletz't die dieses Hauß vmbwallen.
L e o. Vmbwallen mit dem schwerd. T h e o. Mit dem sie vns beschütz't.
[32] L e o. Das sie auff vns gezuckt? T h e o. die vnsern stuel gestütz't.
L e o. Die vnter disem schein den stuel gesucht zu stürtzen.
T h e o. Wer kan der Fürsten zeit / wenn Gott nicht wil / verkürtzen? 44
L e o. Gott wacht für vns vnd heist vns selbst auch wache seyn.
T h e o. Wenn Gott nicht selber wacht schläfft jeder wächter eyn!
L e o. Ja freylich schläft der Fürst der nicht den ernst läst schawen.
T h e o. Wo gar zu grosser ernst / ist nichts alß furcht vnd grawen.
L e o. Der ernst ist nicht zu groß ohn den kein Reich besteht. 44
T h e o. Der ernst ist viel zu groß / durch den das Reich vergeht.
L e o. Nicht durch deß Schelmen todt / den nur der todt kan bessern.
T h e o. Ein Pflaster heilt offt mehr / denn viel mit flam' vnd messern.
L e o. Hier hilfft kein Pflaster mehr! was hab ich nicht versucht.
T h e o. Der höchste strafft nicht bald / wenn jemand etwan flucht. 45
L e o. Wer spricht nicht daß ich mehr denn nur zuviel geschonet?

450 C Der Höchste blitzt nicht bald dafern ihm jemand flucht

T h e o. Der / der nicht lieber strafft / als hoher tugend lohnet.
L e o. Ich habe mehr belohnt alß zubelohnen war.
T h e o. Ein Fürst gibt nicht zuviel / gibt er gleich jahr für jahr.
L e o. Mag noch was übrig seyn das ich jhm nicht gegeben? 455
T h e o. Ach ja. L e o. sag an / was ists. T h e o. sehr viel.
L e o. was ists. T h e o. das Leben.
L e o. Das leben / dem der nichts alß meiner liebsten noth /
Der Kinder vntergang / vnd seines Fürsten todt
Mit ernstem Eyver sucht / auff dessen grause sünden
Man nicht recht gleiche straff vnd Vrtheil weiß zu finden. 460
T h e o. Gnad überwigt / was nicht die straff erheben kan:
L e o. Die wage reißt entzwey / wenn man kein Recht sieht an.
T h e o. Das Recht hat seinen gang / last gnad' jhm nun begegnen.
L e o. Der Himmel wil das Haupt / das Laster abstraff't / segnen.
[33] T h e o. Vnd diesem günstig seyn / das leicht die schuldt vergibt. 465
L e o. Nicht dem / der Gott vnd Mich vnd dich so hoch betrübt.
T h e o. Wie herrlich stehts wenn man guts thut vnd böses leidet!
L e o. Wie thörlich! wenn man sich die gurgel selbst abschneidet.
Wenn man das Waldschwein das mit so viel schweiß gehetz't /
Vnd in dem garn verstrickt / auff freye wiesen setz't! 470
T h e o. Man kan die schlange selbst durch gütte so bewegen /
Daß sie die grause gifft pflegt von sich abzulegen.
Der wilden hölen zucht / der strengen Löwen art /

471 Siehe Gryphius' »Erklärung . . .«

Vnd was die wůßte klipp' in jhrem schoß verwahrt
Legt / wenn der linde Mensch es nicht zu rawe handelt /
Die grimmig' vnart ab / vnd wird in zahm verwandelt.
L e o. Man kan / es ist nicht ohn / ein blut begierig Thier
Gewőhnen daß es spiel vnd nieder knie vor dir /
Man kan / waß noch viel mehr / die starcke flut vmbkehren.
Den strőmen widerstehn / den tollen wellen wehren.
Man dåmpfft der flammen macht / man segelt gegen wind /
Man stůrtz't die felsen hin wo thål vnd hőlen sind.
Man kan die steine selbst mit weitzen ůberziehen.
Vnd lehrt die wilden åst auff edlen ståmmen blůhen.
Diß kan man vnd noch mehr / nur dis ist vnerhőrt /
Die kunst verkenn't sich hier; kein wissen hat gelehrt
Wie ein verstockter geist den hochmuth auffgeblasen /
Vnd Kronen sucht verhetz't / zu heilen von dem rasen.
T h e o. Der Artzt hofft weil sich noch die Seel in krancken regt.
L e o. Bey todten wird vmbsonst die hand zu werck gelegt.
T h e o. Bey Todten / die die Seel auf vnser wort gegeben.
L e o. Vor ůberhåuffte schuld vnd vnser aller leben.
T h e o. Rach ůbereyl't den Rath. Bedenckt wol was jhr thut.
L e o. Die Rache heischt zu spåth so hoch befleckte blut.
T h e o. Ach blut! bedenckt den Traum der ewre Mutter schreckte.
L e o. Bedencke was diß blut vnß offt fůr furcht erweckte.
T h e o. Bedenckt den hohen tag der alle welt erfrewt.
L e o. Vnd mich / wenn nun der wind deß feindes asch' vmbstrewt /
[34] T h e o. Stőß't jhr den Holtzstoß auff / nun JESVS wird gebohren!
L e o. Dem / der auff JESVS Kirch' vnd glieder sich verschworen.
T h e o. Wol't jhr mit mord befleckt zu JESVS taffel gehn?
L e o. Man richtet feinde hin die bey Altåren stehn.

495 Siehe Gryphius' »Erklårung . . .«

Mein Licht! nicht mehr! wie ists. darff die sich vnterwinden
Zu bitten fůr den Mann / der Sie vnd Mich zu binden /
Vnd mich vnd sie nach mein' vnd jhrer Kinder todt 505
Durch newer schmertzen art vnd vbergrause noth
In staub zu tretten meyn't? der ohne furcht darf sagen /
Daß wir durch seine gunst Gold auf den haren tragen /
Vnd Purpur vmb den Leib! vnd hȯr ich långer zu?
Deß Menschen vntergang ist Mein' vnd deine Ruh. 510
Sein Leben / beyder grab. Theo. Er laufft ergrimm't von hinnen.
Wie aber? laß ich zu was mit erhitz'ten sinnen
Der Keyser heißt volzihn? sol der so hohe tag.
In welchem Gott vnd Mensch arm in der krippen lag /
In welchem wir mit Gott vnß eylen zuverbinden / 515
Den Holtzstoß auf der burg vol menschen beiner finden?
Sol leichen-schwerer stanck vor vnsern' weyrauch gehn?
Sol sein geschrey vor Gott bey vnsern beten stehn?
Nein warlich! nein! ich muß / wo mȯglich / diß verhůtten /
Ich wil den harten muth deß Fůrsten ůberbitten. 520
Daß Er das strenge Recht nicht auf das fest außfůhr.
Ich weiß. Er wegert nicht so wenig Gott vnd mir.

Der Sechste Eingang.

Mich. Die Trabanten. Leo. Theodosia.

Trab. Nun fort die zeit verlaufft. Mich. wolan! so last vnß gehen!
Vnd zwar allein / in dem kein freund wil bey vnß stehen.
Ach freunde sonder trew'! Ach nahmen sonder that! 525
Ach titul sonder nutz! ach beystand sonder raht!
[35] Ach freunde! freund' in glůck! ach daß wir Euch doch ehren!
Verflucht wer sich den wahn der Liebe låst bethȯren!

528 C der Freundschafft

Verflucht wer auf den Eyd der leichten Menschen baw't!
Verflucht wer auf den Mund vnd auf versprechen traw't!
Ich sterb' vmb daß ich hab auffrichtig die geschetzet
Für die ich mich gewagt! der / den die faust gesetzet
Auff Constantinus Thron. setz't mich auf diesen stoß /
Der Fürst vor den mein blut auß allen adern floß
Schenckt mir diß Holtz zu lohn! wie hoch bin ich gestiegen /
Daß auch die aschen selbst wird durch die lüffte fliegen!
Wiewol hab' ich die zeit vnd wunden angewandt!
Ach! daß der lichte pfeyl der donner mich verbrandt!
Alß ich / da noch ein Kind / von Hause ward gerissen!
Eh ich die glieder lernt' in hartten stahl verschliessen!
Eh' ich das schwerd ergriff' vnd durch die waffen drang!
Eh' ich mit flam' vnd spieß der feinde Wall besprang!
Ach! daß mich doch ein Held! daß mich ein Mann erleget!
Ach! daß mein wündschen euch / die jhr mich schaw't / beweget!
Kommt freunde! stost ein schwerdt! stost durch die blosse brust!
Diß bitt' ich! feinde komm't ersättig't ewre lust!
Vnd stost ein schwerd durch mich! Ich wil es beyden dancken.
Vergebens wündscht / wer schon in die gedrange schrancken
Des rawen todes laufft. Wol an dann! komm't vnd lehrt
Jhr die jhr Fürsten hoch / vnd gleich den Göttern ehrt /
Die jhr durch Herren gunst wol't in den Himmel steigen /
Wie bald sich vnser Ruhmb muß in die aschen neigen.
Wir steigen / alß ein Mensch dem man den Halß abspricht: /
Auff den gespitzten Pfaal der seinen Leib durch sticht.
Wir steigen alß ein Rauch / der in der Lufft verschwindet:
Wir steigen nach dem fall / vnd wer die höhe findet.
Find't was jhn stürtzen kan. T r a b. die weißheit lehrt der Todt!

535 C ich bin
555/556 Vgl. Psalm 37, 20 und Jakobus 4, 14. Das Motiv ist häufig in der patristischen und in der Emblemliteratur im Zusammenhang

M i c h. Was mich mein Holtzstoß lehrt. das lehr' euch
meine noth!
Wer steht kan vntergehn! Ich wil mich selbst entkleiden.
Last vnß denn vnverzagt deß Himmels schluß erleiden! 560
Du aller Stätte zier! Beherscherin der welt!
Die ich durch so viel angst in stoltze Ruh gestelt;
[36] Ade! dein Held vergeht! du zeuge meiner Siege
Du güldnes licht ade! du / durch mich offt / im kriege
Mit fleisch bedecktes Land / das meine faust gefüllt 565
Mit leichen / hirn vnd bein / daß ich mit Spieß vnd Schildt
Vnd Tartschen offt gepflüg't. sey / nun der todt begegnet:
Zu guter nacht gegrüß't / zu guter nacht gesegnet!
Jhr Geister! die die Rach' jhr hat zu dienst' erkießt
Wo fern durch letzten wundsch was zu erhalten ist? 570
Wo einer / der itzt stirbt / so fern euch kan bewegen /
Wo fern jhr mächtig angst vnd schrecken zu erregen:
So tag ich euch hervor / auß ewrer Martter höll /
Wo nichts denn Brand' vnd ach! gönn't der betrübten Seel
Was nicht zu wegern ist! es müsse meine schmertzen 575
Betrawren der sie schafft / vnd mit erschrecktem Hertzen
Den suchen den er bren't. Es müsse meine glutt /
Entzünden seine Burg / es müß auß meinem blutt /
Auß dieser glieder asch' / auß den verbranten beinen /
Ein rächer aufferstehn / vnd eine Seel erscheinen 580
Die voll von meinem muth / bewehrt mit meiner hand
Gesterck't mit meiner krafft / in den noch lichten brand
Der mich verzehren muß / mit steiffen backen blase /
Die mit der flamme tob / vnd mit den funcken rase /
Nicht anders / alß dafern die schwefel-lichte macht 585
Durch Wolck vnd schlösser bricht; der schwere donner kracht.
Die mir mit Fürsten blut so eine grabschrifft setze:
Die auch die ewigkeit in künfftig nicht verletze.

mit Fortuna, Vanitas, Memento mori. Vgl. D. W. Jöns, »Sinnenbild«, S. 243 f. Bei Gryphius wird es zum Leitbild seiner barocken Theatralik.

Trabant. Weicht jhrer Majeståt. Leo. Es sey denn /
wie du wilt
Princessin! aber / ach! daß hier kein warnen gilt. 590
Du wirst die stunde noch / du wirst die gunst verfluchen
Vnd schelten was wir thun / auf dein so hoch ersuchen.
Schlißt den verdam'ten Mann in starcke ketten eyn /
Weil schon das fest anbricht / besetzt den rawen stein
Deß Kerckers vmb vnd vmb mit Hůttern auf das beste: 595
Verråther kan man nicht verwahren gar zu feste.

Reyen der Hőfflinge.

1. O du wechsel aller dinge
Immerwehrend' eitelheit!
[37] Laufft denn in der zeiten ringe
Nichts alß vnbestendigkeit! 600
2. Gilt denn nichts / alß fall vnd stehen!
Nichts denn Cron vnd Hencker strang?
Ist denn zwischen tief vnd hőhen
Kaum ein Sonnen vntergang?
3. Ewig wanckelbares glůcke! 605
Sihstu keinen Zepter an?
Ist denn nichts das deiner tůcke /
Auff der welt entkommen kan?
4. Sterbliche! was ist diß leben /
Als ein gantz vermischter traum! 610
Diß was ehr' vnd fleiß vns geben
Schwindet alß der wellen schaum!
5. Printzen! Gőtter dieser erden
Schaw't was euch zu fuße fåll't!

599 Zur temporalen Struktur von Gryphius' Texten, wie sie dieser Reyen besonders deutlich zeigt, siehe: W. Vosskamp, »Zeit- und Geschichtsauffassung im 17. Jahrhundert«, bes. S. 135–159, und P. Rusterholz, »Theatrum vitae humanae«, S. 77–90.

600 C mit fester Sicherheit

Denckt wie plötzlich könt jhr werden 615
Vnter frembden Fuß gestellt.
6. Auch ein augenblick verrücket
Ewrer vnd der feinde Thron:
Vnd ein enges nun das schmücket
Die Jhr haß't mit ewrer Cron! 620
7. Jhr / die mit gehäufften Ehren /
Jhm ein Fürst verbunden macht.
Wie bald kan man von euch hören /
Daß jhr in die ketten bracht!
8. Arme! sucht doch hoch zu steigen! 625
Eh der Ruhmb euch recht erblickt!
Muß sich ewre blume neigen
Vnd der todt hat euch bestrickt.
9. Pocht / die jhr die welt erschüttert:
Pocht auff ewrer Waffen macht! 630
Wenn die lufft was trübe wüttert /
Wird die schwache faust verlacht.
10. Dem Metalle zugeflossen:
Dem der Tagus schätz' anbott /
Batt offt ehr der tag geschlossen: 635
Vmb ein stück vnwerthes Brodt.

615 BC Offt eh' es kan Abend werden
616 BC Knit ihr unter frembden Fuß!
627 C Müst ihr Haupt und Augen neigen
634 *Tagus:* spanischer Fluß, der Goldsand führt; sein Gold glüht in dem durch Phaëton verursachten Weltenbrand.
635/636 Die Zeilen erinnern an Belisarius. Vgl. Jacob Bidermanns Drama »Belisarius« oder die Kurzfassung Jacob Baldes in seinem »Poema de Vanitate Mundi« LXV:

Gebt doch dem Belisario,
Ich bitt umb Gottes Willen /
Ein Stücklein Brot so ist er fro /
Und kan den Hunger stillen.
Der blinde Mann nimbt alles an /
Daran ist gar kein zweifel:
War vor dem Fahl (= Fall) Feldt General
Jetzund ein armer Teufel.

636 C stücke schimlend Brodt

[38] 11. Schöne! die schnee weissen wangen:
Die die Seelen nach sich ziehn:
Deß gesichtes edles prangen:
Heist ein schlechtes feber flihn.
12. In dem wir die Jahre zehlen /
Vnd nach hundert Erndten sehn
Muß es an der stund' vns fehlen /
Clotho rufft es sey geschehn.
13. Zimmert Schlösser! bawt palläste!
Haw't euch selbst auß hartem stein!
Ach! der zeit ist nichts zu feste!
Was ich baw bricht jener ein.
14. Nichts! Nichts ist das nicht noch heute
Könt in eyl zu drümmern gehn!
Vnd wir! ach! wir blinden leute
Hoffen für vnd für zu stehn.

Die dritte Abhandlung.

Der Erste Eingang.

Leo. Papias. Reyen der Spielleute vnd Sänger.

L e o. Er ist versichert? P a p. Ja. L e o. verhüttet? P a p.
starck. L e o. wer gibt
Acht auf die wach' P a p. ich selbst. L e o. last keinen den
er liebt
Eindringen auf die Burg: Jhn auch heiß feste schliessen;
Mit Ketten vmb den Arm / mit sprengen an den füssen /
P a p. Mein Fürst / es ist verricht. L e o. Wo sind die
schlüssel? P a p. hier!
L e o. Entweiche. ruffe du die Sänger vor die Thür.

640 C schlechter Frost verblühn.
644 *Clotho:* die erste der drei Schicksalsgöttinnen, der Parzen (Clotho, Lachesis und Atropos).

Wir wůndschen vnß allein! O kummerreiches leben!
Wer wird mit Hůttern mehr / wir oder er vmbgeben?
Er beb't vor seiner noth. Wir selbst vor vnserm schwerdt.
Ist dieses Zepter-gold wol solcher sorgen werth. 10
Wie drůckt diß leichte Kleid! O selig wer die Jahre
Den kurtzen Rest der zeit / biß auff die grawen hare
[39] Weit von der Burg verzehrt. der nur die wålder kenn't /
In welchen er ernehrt / den nicht die pracht verblent
Die auf dem purpur spiel't; er mag ja sicher gehen / 15
Wenn vnd wohin er wil: die vnß zu dienste stehen
Stehn offt nach vnserm Leib. Jhn wirfft die sanffte nacht /
Auf ein geringes Stroh / biß Titan ist erwacht /
Wir jrren ohne Ruh. wen wir den Leib außstrecken /
Verkehrt das kůssen sich in allzeit-frische hecken. 20
So bleibt ein grůner strauch von blitzen vnverletz't
Wenn der erhitz'te grim in hohe Cedern setz't
Vnd åst vnd stam zuschlegt / wenn sich die wind' erheben
Vnd zeichen jhrer kråfft / an langen Eychen geben.
Der Himmel der vnß nichts ohn etwas wehmut schenckt / 25
Hat mit stets-newer furcht den stoltzen Thron vmbschrenckt.
Mit Eysen wird ein Knecht / mit gold' ein Fůrst gebunden.
Der Krigsman fůhlt das Schwerdt / vns gibt der argwohn wunden
Die nicht zu heilen sind. Wir schweben auff der See.
Doch wenn die grimme fluth den Kahn bald in hôh' 30
Bald in den abgrund reißt! vnd in den Haven růcket /
Wird an der rawen Klipp' ein grosses Schiff zu stůcket.

30–32 In Emblembüchern verbreitetes Bild, das noch in Schillers »Wallenstein« den Fall des Helden anzeigt. Wallensteins Tod, V,4, Gordon: »Mein Fürst! Mit leichtem Mute knüpft der arme Fischer den kleinen Nachen an im sichern Port, sieht er im Sturm das große Meerschiff stranden.«

n. 32 in C als Szenenanweisung:
Vnter wehrendem Seitenspill und Gesang entschlåfft Leo auff dem Stule sitzend

Violen.

Der Chor. 1. Die stille lust der angenehmen Nacht
Der ruhe zeit / die alles schwartz anstreicht.
Kroͤnt nun jhr Haupt mit schimmernd-lichter pracht
Der bleiche Mond / der Sonnenbild entweicht.
2. Die Erd erstarr't. der faule Morpheus lert
Sein feuchtes Horn auff tausend glieder aus
Vnd deckt mit schlaff / was schmertz vnd tag beschwert /
Der traͤume schar schleicht eyn in Huͤtt vnd Hauß.
3. Die kleine welt / das grosse Bizantz liegt
In stoltzer Ruh. in dem sein Keyser wacht.
Der grosse Printz / der fuͤr vns kriegt vnd siegt
Vnd gantz zubricht der harten Persen macht.
4. Er wacht fuͤr vnß! daß Pontus stiller fleußt
Daß Nilus dient / daß Ister dich verehrt /
[40] Vnd daß der Bospher nicht das Land begeußt.
Entsteht / weil jhn nicht einer schnarchen hoͤrt.
5. Er wacht fuͤr vnß / vnd der wacht uͤber jhn
Der Fuͤrsten stuͤel' auf steiffen Demand setz't
Der Fuͤrsten taͤg' heißt auß metallen zihn.
Vnd jhre feind mit schnellem blitz verletz't.
6. Gott helt ob den / die er selbst Goͤtter nenn't /
Ob schon der Riesen freche schaar erhitz't:
Vnd sich vor wahn vnd rasen nicht mehr kenn't /
Vnd Berg auf Berg / vnd felß auff klippen stuͤtzt.
7. Ob Atlas gleich schon auff dem Haemus stuͤnd' /
Vnd Athos reicht an das bestern'te schloß.
Ob man die thuͤr auch in den Himmel fuͤnd /
Wenn Rhetus noch so starck vnd noch so groß:

33 C Die Reyen
57 *Haemus:* das Gebirge des Thrakerkönigs Oeagrus, vom Brand des Phaëton umgeben, aber noch nicht erfaßt.
60 *Rhetus:* Rhoetus, Zentaur? Ovid, »Metamorphosen«, XII, 271–301: er erschlägt mit dem brennenden Strunk eines Pflaumenbaums drei Gegner und wird nachher selbst verwundet und in die Flucht geschlagen.

8. So bleibt es doch / so bleibts vmbsonst gewagt
Was sie gewůndscht! auf einen schlag verschwind
Das lange werck. wer Gott in streit außtag't /
Wird asch / vnd staub / vnd dunst / vnd rauch / vnd wind.

Violen.

Der Ander Eingang.

Tarasij Geist. das Gespenst Michaelis. Leo. die Trabanten.

Auff Fůrst: gestůrtzter Fůrst! auf! auf! was schlummerst du? 65
Weil Gottes Rach erwacht. auf! treib die faule Ruh
Von deinem Hertzen auß / dein Zepter wird zubrochen!
Dir hat der schnelle todt ein schneller recht gesprochen.
Der / den du aus dem Thron / vntrewer man verjag't /
Der ůber deine schuld mit heissen tråhnen klagt / 70
Vnd das gerechte Recht stets-klagend hart erbittert /
Die Kirche / die fůr dir / vnselig Mensch / erzittert.
Dein eigner ůbermuth; der der in felßen sitz't
Durch dein befehl verjagt / der in metallen schwitz't
Vnd auß dem mittelpunckt der Erden durch die Himmel 75
Mit seufftzenreichem Ach! vnd winselndem getůmmel
Gott an das Hertze dringt / das nimmer stille blutt
So ewig zetter rufft / das du gleich schlechter flutt /
[41] Der Amphitrit geschåtz't vnd ohne schuld vergossen
Die / die dein heisser geitz in Klőster hat verschlossen 80

63 C zum Streit
In C steht nach »Violen« als Bühnenanweisung:
Vnter wehrendem Spill der Geigen / erschallet von ferne eine trawer Drompette / welche immer heller und heller vernommen wird / biß Tarasius erscheinet / umb welchen auff blosser Erden etliche Lichter sonder Leuchter vorkommen / die nachmals zugleich mit ihm verschwinden.

v. 65 *Tarasij Geist:* siehe Cedrenus II,64 und Zonaras XV,21.

79 *Amphitrit:* Amphitrite, Verkörperung des erdumfassenden Meeres, Ovid, »Metamorphosen«, I,14.

Die du gestůmmelt hast / vnd der entmann'te mann
Theophilact / vnd wer noch ůber dich Tyrann.
Auch sonder zunge rufft. gibt der getrotzten Rache
Das Mordschwerd in die faust; Auf Keyser auf / vnd wache!
Wofern du wachen kanst / doch nein! dein end ist dar!
Kein schloß / kein schild / kein schwerd / kein tempel / kein Altar
Schůtz't / wenn Gott blitzen will! dein Engel schaw' ich weichen /
Dich sonder Haupt vnd hand; vnd die zustůckte Leichen
Vmbschleiffen durch die Statt. dein Stamm muß vntergehn /
Entgliedert vnd verhőhnt. Was wilst du lănger stehn?
Stoß Michael! stoß zu! Leo. Mord! mord! Verrăhter! degen.
Schild! Mord! Trabanten! Mord! helfft mir den feind erlegen!
Jhr Himmel! was ist diß? hat vns der traum erschreck't!
Schaw'n wir diß wachend an! wird durch gespenst entdeckt
Was diesem Nacken drew't? Wen habt jhr hier gefunden?
Trab. gantz niemand! Leo. Niemand? wie? Trab. den Fůrsten hielt gebunden
Ein vnverhoffter schlaff. Wir drungen auf sein wortt
Bewehret ins gemach. Er saß auff diesem ortt
Vnd rieff nach hůlff vnd schwerdt. Leo. habt jhr sonst nichts vernommen?
Trab. gantz nichts. Leo. auch niemand sehn durch wach' vnd Thůren kommen.
Trab. Nicht einen. Leo. Hat der schlaff euch blind vnd taub gemacht?
Trab. Wir wůndschen vns den todt / dafern wir nicht gewacht!
Leo. Sind schloß vnd Thor mit Volck' vnd nach gebůhr versehen?
Hat man den Port besetzt? Trab. Mein Fůrst es ist geschehen.
Die scharen sind versterckt / die Maur ist waffen voll.

Leo. Schawt wo Nicander sey / vnd weck't den Exabol.
Wie viel ist von der zeit der Finsternůß verschwunden?
[42] Trab. Die Burgtrompette blåst jtzt auß die sechste stunden.

Der Dritte Eingang.

Leo.

Was bilden wir vns ein?
Soll vnß ein leerer wahn / ein falscher dunst bewegen? 110
Sol dises zittern sich auß Phantasie erregen?
Sol es gantz eitel seyn
Was diß schrȯckliche gesichte
Von dem ernsten Bluttgerichte /
Von vntergang / fall / todt / vnd wunden 115
Vns in die Seelen eingebunden?

Der kalte schweiß bricht vor.
Der můde Leib erbebt / das Hertz mit angst vmbfangen /
Klopfft schmachtend zwischen furcht vnd sehnlichem verlangen.
Es klingt nichts in dem Ohr; 120
Als der donner-herben rache
Von Gott außgetagte sache /
Wir schaw'n den geist noch fůr vnß stehen
Wir schawen vnser Reich vergehen.

Stoß Michael Stoß zue! 125
So rieff das trawrgespenst. Dein Zepter wird zerbrochen.
Der strenge todt hat dir diß strenge recht gesprochen:
Auff / auff von deiner Ruh!
Ach! hat ruh' vns je erquicket
Weil die Cron das Haupt gedrůcket? 130
Ist eine wollust die wir funden
Die nicht in leichtes nichts verschwunden?

Dein Zepter ist entzwey!
Diß recht spricht vns der tod / der hohe Thron wird brechen;
Die straffe wil den mann / den wir vertrieben / rechen
Geht denn der Moͤrder frey?
Haben wir diß schwerdt gewetzet!
[43] Das vns selbst die brust verletzet?
Steht vns're zeit in dessen haͤnden
Der in der glutt die zeit sol enden?

Kein Tempel kein Altar
Schuͤtzt / wenn Gott blitzen wil; wil Gott denn die nicht schuͤtzen /
Die Er an seine statt hies auff den Richtstuel sitzen?
Kuͤrtzt Er der Fuͤrsten jahr?
Oder lehrt er nur durch zeichen
Wie man sol der grufft entweichen?
So ists! er pflegt vns zwar zu drewen:
Doch pflegt jhn auch sein zorn zu rewen.

Ist Michael denn frey!
Der in den eisen sitzt? wie wenn die Kett' erbrochen?
Durch Gold / zusag / vnd list? was hat man nicht versprochen
Wie koͤstlich es auch sey?
Wenn man von den scheiterhauffen
Den verdam'ten Leib wil kauffen?
Kein Ertz ist das nicht gaben weiche!
Kein Mittel das nicht geld erreiche.

Auff! schrie der geist vnß an!
Auff Keyser! auf! wach auff! wol! last vns selber schawen
Wie fest der Kercker sey / wie fern der Burg zu trawen /
Vnd was vns zugethan.
Wer der noth weiß vorzukommen:
Hat der noth die macht benommen.
Die koͤnnen kaum dem fall' entgehen
Die nur auff frembden fuͤssen stehen.

Der Vierdte Eingang.

Exabolius. Nicander. die Trabanten. Leo.

E x a b. Wo helt der Fůrst sich auf? T r a b. Er hat diß theil der nacht 165
[44] Noch sonder Ruh alhier vol kůmmer durch gebracht.
Itzt stieg er vnversehns allein die staffeln nieder.
N i c a n d. Allein / T r a b. Er rufft vnß zu: Verziht biß daß wir wieder
Erscheinen auf dem Saal! Er ist nicht alß er pflag.
Jhm ligt was auff der brust / Er wůndscht nur nach dem tag / 170
Vnd fleucht das sanffte bett! vnß / ferner / ist verholen
Warumb er euch bey nacht zu ruffen anbefohlen.
N i c a n d. Der Keyser hålt den Wolff nur leider! mit dem Ohr.
Dis / diß ist was jhn krånckt. Ich merckt es wol zuvor /
Daß man durch langes Recht sich wůrde so verweilen; 175
Biß Exabol. vnß selbst das vnglůck wůrd' ereilen /
Was denckt man wol / wormit Er diese nacht vmbgeh'
Was er vor mittel such' / in welchem wahn er steh'
Wird man nicht in der Statt sich heimblich vnterwinden /
Durch vorbitt' oder macht jhn entlich zu entbinden? 180
Bricht er sich dißmal loß / so ists / (du wirst es seh'n.)
Vmbs Keysers Cron vnd Leib. Vmb mich vnd dich geschehn.
E x a b. Die sach' ist freylich schwer. Doch daß man dem gerichte
Die schuld aufflegen wil; geht nicht. diß stůck' ist lichte /

167 B Itzt eil't er unversehns durch nåchste Creutz-Gewôlber
C Itzt eilt er unversehns durch die gewelbten Gånge
168 B wir selber
C Wir folgten ihm mit der bewehrten Menge
n. 168 hat C die Verse:
Er wiß uns stracks zurück / und riff; last uns allein
Verwahrt teils Saal / theils Thor biß Exabol erschein
Vnd sich Nicander zeig? Heist beyd allhir verzihen;
Biß daß wir nochmals uns in diß Gemach bemůhen.

Daß er alßbald verhört. Verklagt durch eignen mund /
Selbst durch sich überzeugt / daß er mit gutem grund
Einhellig stracks verdam't. Hierin' ist viel versehen /
Daß nicht dem Vrtheil auch in eil genung geschehen /
N i c a n d. Warumb hat man die frist der Rach in weg gelegt?
E x a b. Der Keyser ward hierzu durch sein Gemahl bewegt:
Sie durch das hohe fest. N i c a n d. sprich lieber / durch die lehren
Der Priester / die sie pflegt alß Götter an zuhören:
E x a b. Wer weiß nicht was ein Weib durch bitt' erhalten kan?
N i c. Ja die Princessin batt / ein ander trieb sie an!
Warumb doch wil die schaar die dem Altar geschworen
Stets in dem Rathe seyn? sie hört durch ewer Ohren
Sie schleust durch ewren mund / sie kümmert sich vmb feld /
Vmb läger / Reich' vnd See: ja vmb die grosse welt /
Nur vmb die Kirche nicht! Ist denn so viel verbrochen
Wenn ein verletzter Fürst rechtmässig sich gerochen?
[45] Gibt Gott den Printzen nicht das schwerd selbst in die hand?
Zu straffen frevle schuld / zu schützen Jhren stand?
Man muß / es ist nicht ohn / die zeit recht vnterscheiden:
Doch wenn die zeit es selbst / wenn es die noth kan leiden.
Man sucht offt in dem Fest / zu wunden salb' vnd bandt.
Vnd kom't mit leschen vor dem angelegten brandt.
E x a b. Wir müssen / was gefehlt zu ändern vns bemühen:
Das best' ist daß er nicht so leichtlich wird entfliehen.
Es sey denn: N i c a n d. schweig der Fürst. L e o. Es ist mit vns gethan!
Was hoffen wir / nun der auch schifft in diesem Kahn
Dem wir den feind vertrawt. Wie solt vns der nicht zwingen
Der in den ketten herrsch't / vnd die vnß ab-kan-dringen
Vmb die der wächter sitzt. E x a b. was druckt deß Fürsten geist?

L e o. Nichts / alß daß vnß der stock / den newen Fůrsten
weißt.
N i c. Den meyn't man der noch kaum zwey nåchte wird
vollenden! 215
L e o. Vnd gleichwol Zepter fůhrt mit den gebundnen
hånden.
E x a b. Was steckt deß Fůrsten sinn' in solchen kummer ein?
L e o. Der Kercker in dem er voll ruh' / Wir matt von pein.
E x a b. Der kercker? Wie? L e o. wir sind gleich auß dem
Kercker kommen:
Da wir in Augenschein die hőchste schuld genommen. 220
Die Thore sind verwahrt / der muntern Hůter schar
Besetzte steig vnd gang wie anbefohlen war /
Wir schlichen ins gemach darin der Mőrder lieget /
Der zeit zu seiner that durch vns're Langmutt krieget.
Was schaw'ten wir nicht an? Er schlieff in stoltzer ruh 225
Gantz sicher / sonder angst. wir tratten nåher zu
Vnd stiesen auff sein Haupt. Doch blieb er vnbeweget
Vnd schnarchte mehr denn vor. E x a b. Als ein bestůrtzter
pfleget
Der laß von todesangst in tief erstarren fållt:
N i c. Alß der / der sich entfrey't von angst vnd ketten hålt: 230
L e o. Diß wieß die Ruh-ståd aus! an welcher nichts
zufinden
Alß Purpur vnd Scarlat / Vorhang / Tappett vnd Binden
Gestůckt mit reichem gold / der Himmel mit gestein /
[46] Durch hőchste kunst besetzt / jhn hůll'te Purpur ein!
Vnd was der Sere spin't / die aufgesteckten kertzen 235
Bestralten aus dem gold den vrsprung vnsrer schmertzen.
Der Parthen arbeit hat die schlechte wand geziert /
Die Erd ist mit gewůrck der Moren aus staffiert.
Endlich! sein Kercker ist mehr denn ein Fůrstlich zimmer.
Vnd důnckts euch frembde / daß sich vnser geist bekůmmer? 240
E x a b. Hilff Gott! was hőren wir? L e o. dis was wir
selbst gesehn.

235 *der Sere:* der Chinese (σήϱ).

Nicand. Diß werck siht seltzam aus. Leo. hört ferner
was geschehn:
Der Papias / dem wir den Mörder anbefohlen /
Spil't auff dem traw'rplatz auch / vnd stehet vnverholen
Dem Ertzverräther bey! Er schlieff vor seinem Fuß.
(Weil ja der newe Printz auch Cäm'rer haben muß)
Exab. Er lag denn auf der Erd. Leo. alß dem zu thun
gehöret
Der in dem schlaff-gemach deß Keysers hoheit ehret.
Diß thut man auf der Burg! in vnser gegenwart!
Man schätzt vns schon vor tod. Exab. der frevel ist zu
hart.
Leo. Du dunckelreiche zeit! Jhr ewiglichte kertzen
Die von dem schloß der lust bestralet vns're schmertzen!
Du einsamkeit der nacht / Jhr geister jener welt
Vnd die / was vnter vnß herrscht in gehorsamb hält:
Seidt zeugen ernsten grims. Vnd bürgen tewrer schwüre:
Wo wir / nicht / ehr die zeit den dritten tag verliere /
Den Mörder vnd sein Volck. Vnd anhang vnd jhr Hauß /
Erhitz't durch heil'ge rach / verkehrt in staub vnd grauß:
Wo auff den Papias wir so das schwerd nicht wetzen /
Daß auch die Felsen sich vor seiner straff entsetzen:
So müssen wir verjagt / verhöhn't / verspey't / verlacht
Entzeptert / sonder trost / vnd hoffen / tag vnd nacht
Vmb jrren / weil wir sind. vnd vnter frembden füssen /
Ja rawer dinstbarkeit das hartte Leben schliessen.
Wie dencken wir so weit! diß ist die letz'te nacht
Die vnß der Himmel gönn't. Exab. der Fürst schlag aus
der acht
Was zorn vnd argwon dicht. Wir sind so fern nicht
kommen /
Die trew hat auf der Burg noch nicht Ade genommen /
[47] Fehlt einer oder zwey! es sind viel tausend dar
Die Jhrem Keyser hold. Die willig'st in gefahr
Sich wagen vor sein heil / die jhr verpflichtet leben
Vor sein gekröntes Haupt in die rappuse geben.

L e o. Es ist noch etwas mehr / das Seel vnd sinnen nagt.
E x a b. Vergibt der Fůrst dem / der vmb sein anliegen
fragt!
L e o. Vns hat noch kurtz vorhin ein harter traum
beschweret / 275
N i c a n d. Der schafft jhm selber angst der sich an tråume
kehret.
L e o. Der Himmel hat durch tråum offt grosse ding
entdeckt.
E x a b. Der wahn hat offt durch tråum' ein můdes hertz
erschreckt.
L e o. Der traum von Phocas hat dem Mauritz nicht gelogen.
E x a b. Wer viel auf tråume baw't / wird alzuviel betrogen. 280
N i c a n d. Bestůrm't ein traum den geist / den nicht der
feinde macht
Den kein bewehrter grim' je in bestůrtzung bracht.
Bestůrm't ein traum den geist / vor dem die trotzen hauffen
Der Parthen sich entsetzt / vor dem die Bulgarn lauffen?
Wo sind wir / grosser Fůrst L e o. Nicander glaub es fest 285
Daß keiner blitzen glantz / kein vngehew're Pest
Vnß je den muth benam. diß eine wir bekennen /
War måchtig schier die Seel aus dieser brust zu trennen.
E x a b. Der Fůrst entdeck' vnß doch das schreckliche gesicht
L e o. Folgt vns ins zimmer nach. N i c a n d. Trabanten
bringt ein licht. 290

275 C Traum oder Geist
279 *Phocas hat dem Mauritz nicht gelogen:* Kaiser Maurikios I. träumte, er solle dem Soldaten Phocas ausgeliefert werden, der dann wirklich ihn und seine Familie ermordete. Phocas wurde 610 durch Herakleios gestürzt. Vgl. Gryphius' »Erklårung . . .«.
290 BC L e o. Komm't folgt uns. N i c. Wer in Angst; schlåfft sonder Argwohn nicht.

Der Fůnffte Eingang.

Michael. Papias. Ein Wåchter.

P a p. Auff Herr! was thun wir! ach! wir sind dem tod im Rachen!
Auff Herr! ach! kann man nun den Mann nicht munter machen!
Auff! Auff! M i c h. Was mangelt dir? was ist das rasen noth?
Was zitterst du? P a p. wir sind / mein Herr / schon lebend todt!
M i c h. Was hőr ich? traum't dir? P a p. ach! M i c h. sag an. P a p. ich bin verlohren!
[48] M i c h. Was ists! P a p. Ich armer! ach! ach! wer ich nie gebohren.
M i c h. Was krånckt dich! P a p. Ach! M i c h. nur bald / P a p. die zunge stammelt mir
Fůr schrecken. M i c h. vnd warumb. P a p. der Keyser M i c h. schwindelt dir?
P a p. Ist M i c h. was? P a p. Anjetzt bey vnß: M i c h. im Kercker? P a p. hier gestanden /
M i c h. O Himmel! P a p. Es ist auß! mein Brandpfal ist verhanden.
M i c h. Der Keyser? hier bey vnß? wie kan es mőglich seyn?
Wie kan er durch die Thůr ohn dein erőffnen eyn?
P a p. Er hat die schlůssel selbst in seine macht genommen.
M i c h. Ich spůr' es ist mit vns nunmehr aufs hőchste kommen!
Hast du jhn selbst gesehn? P a p. Ich? dem die feste ruh
Die můden augen schloß! M i c h. Wer trug es dir denn zu?
P a p. Die Scharwach' an der Thůr. M i c h. Ich muß es selbst verstehen.
Ruff jemand zu vnß ein / Schaw'st du den Printz vmbgehen

307 BC Sie wil die Furcht uns mehren.
308 BC her / kom Tråumer laß dich hőren!
309 BC Welch Wahnwitz steckt dich an?

Wenn dich der traum verblend't. W å c h t. Mein Herr! es
ist kein wahn!
Ich habe weil ich hier / kein auge zu gethan. 310
Die helffte dieser nacht war / wie mich dunckt / verlauffen:
Alß vnversehns der Fůrst durch die bewehrten hauffen
Biß in den Kercker tratt. M i c h. Hast du jhn recht erkenn't?
W å c h t. So wol alß mich. M i c h. dich hat ein falscher
dunst verblend't.
W å c h t. Warumb doch glaubt mein Herr daß ich / was
falsch / berichte! 315
M i c h. Der Keyser? in der nacht / es dunckt mich ein
gedichte /
W å c h t. Mein Herr / was bråcht es mir / nutz oder schaden
ein?
M i c h. Wer schloß den Kercker auf? W å c h t. Er selbst.
M i c h. kam er allein?
W å c h t. Es war kein Mensch vmb jhn der jhm zu folgen
pfleget.
M i c h. Es siht vnglaublich aus / wie war er angeleget? 320
W å c h t. Mit Purpur / vnd er trug mit gold gestůckte schue.
[49] M i c h. Nun glaub ichs. Sprach er nicht der Scharwach'
etwas zue?
W å c h t. Kein wort. M i c h . ist er bey vns lang in dem
Zimmer blieben.
W å c h t. Er hat schier so viel zeit / alß ich alhier /
vertrieben.
M i c h. Wie stållt er sich in dem Er euch den růcken wand? 325
W å c h t. Er schůttelte den Kopff vnd schnell'te mit der
hand.
M i c h. Genung. P a p. wer zweifelt nun? M i c h. Nicht
dieser der empfindet
Wie grimmig er erhitzt. Den er mit ketten bindet /
Der auff dem Holtzstoß schier den heissen eyver kůhl't:
P a p. Nicht dieser / der noch frey / doch schon den Hencker
fůhl't. 330

330 C die Zangen

M i c h. Ich weiß daß Er auff mich jtzt newe marter suche.
P a p. Daß er auff meinen Kopff all' angst vnd elend fluche.
M i c h. Blutdůrstigster Tyrann? hat wol die grosse welt /
Ein dir gleich Tygerthier? hat das verbrenn'te feld /
Deß wůsten Lybiens so vngehewre Lewen?
Kan vnß die Helle selbst mit mehrer Mordlust drewen?
Verfluchter Fůrst! ich irr' / kan der ein Fůrste seyn /
An dem nichts Fůrstlichs ist / auch nicht der minste schein?
Der auß dem Keyser sich zum Kerckermeister macht /
Vnd årger denn ein Sclav vmb meine fåssel wacht /
Den ewig-stette furcht! den sein verletzt gewissen
Noch hårter alß mich selbst in Diamante schlissen!
Was sinnet Papias! P a p. Mir fållt nichts bessers eyn:
Denn eine schnelle flucht: M i c h. wo wilst du sicher seyn?
Fleuch hin wo Amphitrit den heissen Sand vmbpfålet:
Fleuch hin wo es der Erd' an Sonn vnd tage fehlet /
Der Fůrst ist hinder dir / vnd jagt so hurtig nach
Alß der geschwinde Falck den Tauben an der bach.
Ein mittel weiß ich noch! ach! ko̊n't ich jemand finden
Der sich vmb ho̊chsten lohn / so viel wol't vnterwinden;
Daß er / in ho̊chster eil / zwey wortt trůg' in die Statt /
Viel weiß ich / die mein fall mein' angst bekůmmert hatt /
Die vmb mein heil bemůht; sie wůrden alles wagen:
Mo̊cht jhnen meine noth ein trewer freund vortragen.
P a p. Ein freund / der ist nicht fern: M i c h. wer? P a p.
vnser Theoctist.
[50] M i c h. Recht. P a p. doch wie o̊ffnet man das Thor
der Burg? M i c h. durch list.

n. 338 in BC:
Der nur auff heissen Mord bey kalten Nåchten dencket /
Den unser Tod ergetzt / den unser Leben kråncket /
n. 348 in C:
Meinst du nicht daß er schon die Wach auff dich verstårcke /
Vnd alle deine Tritt' auffs heimlichste bemercke?
P a p. Wir sind (ich steh es zu) ins grimsten Lewen-Ho̊ll.
M i c h. Der unversehne Fall ermuntert meine Seel.
354 C meine Schrifft

Gib mir pappir vnd Dint / in so bewandten sachen /
Muß vnß die angst behertzt / gefahr verståndig machen;
P a p. Diß ist ein kurtzer brieff! M i c h. Ich schreibe zwar
nicht viel /
Doch der es lesen sol / versteht schon was ich wil. 360
Wir wollen das Pappier nun gantz mit wachs bedecken:
P a p. So kan es / der es trågt / in seinen mund verstecken.
M i c h. Du weist / das ist die nacht / in der wer Christum
ehrt
Sich seiner ankunfft frewt / vnd wie die Kirch vns lehrt
Låst durch der Priester Hand von alter schuld entbinden. 365
Die zeit ist recht fůr mich / hier kan man mittel finden
Durch Wach' vnd Thor zugehn. Sag an / das ich begehrt
Was Christen vnversagt / was sterbenden gewåhrt /
Man leide / daß ich mag nach einem Priester senden /
Der / ehr der Tod mich heist / den harten Kampff vollenden 370
In dieser grossen Nacht den Geist mit Gott aus sŏhn.
Vor dessen Richters thron ich werd' in kurtzem stehn.
Der Keyser wird mir diß nicht fůglich weigern kŏnnen.
Wen man dem Theoctist den Außgang wird vergŏnnen /
So gib jhm / was ich schrib: Er klopffe sicher an 375
An deß von Cramben Hauß / vnd stell jhm wie er kan
Den brieff / ohn argwohn zu! wo ich auß dieser Ketten /
Auß dieser Pein die mich will in den Abgrund tretten.
Auß dieser flutt die mir biß an die Lippe geht.
Von diesem Messer das an meiner Gurgel steht / 380
Von diesem Sturm der sich vmb meinen Kahn erreget /
Vnd donner / der vmb mich mit liechten blitzen schlåget
Errettet / dieses Loch deß Kerckers lassen sol:
So ist mein Leben dein / so geh' es beyden wol.
So glaube / daß dein dienst / was du nicht kanst begehren. 385
Vnd ich nur geben kan. dir reichlich wird gewåhren.
Dafern die flamme dann mich gantz verzehren wil:

363 BC Dis ist die grosse Nacht / in der was JEsum ehrt;
364 BC Bejauchtzet seine Kripp' und heil'ge Lust vermehrt /
365 BC Durch abgelegte Schuld / auff Pristerlich Entbinden.

So hab' ich doch versucht was möglich vnd du viel.
Es komme nun was kan! entweder du wirst stehen
Durch mich / vnd neben mir stets / oder bald vergehen.

[51] *Reyen der HoffeJunckern.*

Satz.

Fallen wir der meynung bey
Daß die verhängnis vnß vor vnserm zufall schrecke!
Daß ein Gespänst' / ein traum / ein zeichen offt entdecke
Was zu erwartten sey?
Oder ists nur Phantasey / die den müden Geist betrübet
Welcher / weil er in dem Cörper: seinen eignen kummer
liebet?

Gegensatz.

Sol die Seel auch selber sehn
Alßbald der süsse schlaff den Leib hat vberwunden:
(In welchem wie man lehrt sie gleichfals als gebunden)
Was zu hoffen / was geschehn?
Die der seuchen Pest außzehrt! die der nahe tod vmbfasset
Haben freylich offt verkündet / was sich fand wenn sie
erblasset.

Zusatz.

Wir / die alles vns zu wissen /
Von der ersten zeit / beflissen:
Können gleichwol nicht ergründen:
Was wir täglich vor vns finden.
Die der Himmel warn't durch zeichen:
Können kaum / ja nicht / entweichen
Auch viel / in dem sie sich den tod bemüht
zufliehen
Siht man dem tod' entgegen ziehen.

Die Vierdte Abhandelung.

Der Erste Eingang.

Der II. vnd III. Zusammengeschworne.

II. Du glaubst denn durch diß werck / daß Gott vnd Mensch verflucht /
[52] Das wider Ehr' vnd recht zu finden was man sucht?
Bedencke! sol ein Geist! sol ein betrůger sagen
Was man verrichten wird? sol er auf was wir fragen
Antworten sonder list? wer solchen rath begehrt 5
Laufft in sein eigen grab. III. Diß Spiel geht so verkehrt
Daß vnß kein rechter weg mehr wird zu ende fůhren.
Wir haben stand vnd gutt / vnd Leben zuverliehren.
Bey frembden seuchen greifft man frembde mittel an.
II. Ja mittel! wenn man nur dadurch was helffen kan! 10
Du wirst hier leider nichts! alß solche wort erlangen:
Die den / die jenen sinn / nach jedes Kopff empfangen.
III. Man deut' es wie man wil! wol! wenn es nur vor mich!
II. Man deut' es wie man wil! wie wenn es wider dich?
III. Hab' ich den Halß verschertz't / so darff ich mich erkůhnen / 15
Den vorgesetzten tod was besser zuverdienen.
Fållt denn der aus spruch gut: so bleib ich vnverzagt /
Weil man sich nicht vmbsonst in solchen anschlag wagt.
II. Viel besser sonder schuld / dafern es fehlt: gestorben /
Vnd sonder schuld / den Sieg / dafern es glůckt / erworben. 20
III. Ich kan nicht zwischen Furcht vnd zweyfel långer stehn.
Du magst / wo dir geliebt / zu dem von Cramben gehn.
Ich folg ohn alle feihl. doch halt diß thun verschwiegen.
Diß ist Jamblichus Hauß. II. die Werckstatt toller lůgen.

Der Ander Eingang.

Der III. Verschworne: Jamblichus, ein Knabe / Der Ho̊llische Geist.

J a m b. Wer klopft? V e r. thue auf. J a m b. wer ists?
V e r. dein freund! J a m b. wer ists? V e r. gib acht!
J a m b. Ey wie so spåth! es ist schier über mitternacht /
Astree steigt herauf. Der Bår ist vmbgekehret.
Ich habe mit verdruß dein' Ankunfft långst begehret.
Die recht bequeme zeit entgeht vnß auß der hand /
Die Geister halten nicht jedweder stunde stand.
[53] V e r. Ich kont aus meinem Hoff vmb argwohn
zuvermeiden
Nicht eher biß der schlaff all' eingenommen / scheiden.
Du weist warumb ich komm' / ich habe den verlauff
Deß Wercks' dir heut' erzehlt / halt mich nicht långer auff.
J a m b. Gantz nicht. Nur bleib behertzt / man richtet an
dem ortte
Mit zittern wenig auß / enthalt dich aller wortte /
Schreit auß dem Zirckel nicht. Die schlingen binde loß
Entgůrtte deinen Leib / der lincke Fuß sey bloß.
Mein Sohn. Bring vns den Zeug / durch den ich blitz errege /

24 *Jamblichus:* der Name erinnert an den neuplatonischen syrischen Philosophen Jamblichos, Schüler des Porphyrios (232–304). Porphyrios schrieb ein von den Kirchenvätern häufig erwähntes Werk gegen die Christen, das die christliche Schöpfungslehre und die Lehre von der Gottheit Christi bekämpfte. Jamblichos ist vermutlich Verfasser einer Schrift »De mysteriis«, in der er Mantik, Beschwörungs- und Opferwesen gegenüber seinem Lehrer Porphyrios verteidigt. Für die folgende Szene sind viele Quellen geltend gemacht worden. Sie fehlt im »Leo Armenus« Simons. Harring (»Andreas Gryphius und das Drama der Jesuiten«, Kap. II) verweist auf den Jesuitendramatiker Ludovicus Cellotius, Willi Flemming (»Andreas Gryphius«, S. 202) auf das Stück »Geerardt van Veelzen« des Niederländers Pieter Hooft. Zweifellos kannten alle die Zauberszene der Medea Senecas (»Medea«, 740 ff.).

27 *Astree:* Astraea, die Sternenjungfrau. Sie verließ das Menschengeschlecht im Eisernen Zeitalter und wurde verstirnt.

Vnd Leichen aufferweck / vnd Hecaten bewege. 40
Loͤß auff mein greises Haar / Nimb diese Hauben hin /
Vnd diß gemeine Kleid. Du must den Schuch abzihn.
Wo ist der weisse Rock mit Bildern außgestuͤcket?
Der auff gesetzte zeit / durch keusche Hand gestricket?
Das Liecht von Jungfern-wachs vnd Kinderschmaltz
gemacht 45
Die rutte die ich naͤchst / alß zwischen Tag vnd Nacht
Die gleiche Sonnen stund / auß vielen Haselstreuchern
Mit schwerer muͤh' erkohr. Gib Ypen / gib zu raͤuchern.
Vmbwinde mir dreymal den Kopff mit diesem Band
Schuͤtt aus die Todtenbein' steck an die duͤrre Hand; 50
So lang' alß hiervor vnß die liechten Finger brennen
Muͤß vnß kein frembder Mann. Kein fremdes aug' erkennen.
Diß sey der erste ring / diß sey der letzte kreyß /
Hieher gehoͤrt der Kopff. Hieher das tuch mit schweiß
Der sterbenden genetzt; die eingebund'nen Hertzen 55
Hieher die Frawen haut / die in den Kinder schmertzen
Durch diese faust erwuͤrgt / die kraͤutter zwischen ein:
Die ich mit Ertz abschnitt bey stillem mondenschein.
Gib achtung: ob ich recht die zeichen auffgeschrieben:
Ob nichts was noͤtig ist sey vnter wegen blieben. 60
Schrecklicher Koͤnig der maͤchtigen Geister. Printze der Luͤffte
Besitzer der welt:
Herrscher der jmmerdar-finsteren Naͤchte: Der Tod vnd
Hellen gesetze vorstellt.
Der was vor ewigen zeitten verschwunden /
Der was die kuͤnfftig einbrechende stunden.
[54] Den sterblichen gesetzt / der was noch jetzund bluͤht 65
Vnd was zutretten wird alß gegenwertig siht.

40 *Hecaten:* Hekate, Mond- und Zaubergöttin, Nachtgestirn, an Dreiwegen verehrt, zum Zauber herbeigerufen (vgl. Seneca, »Medea«, 750 ff.), Herrin der avernischen Haine, die die Sibylle durch alle Reiche des Pluto führt. (Vgl. auch Ovid, »Metamorphosen«, VII.) Zu Hekate siehe Ulrich Wilamowitz-Moellendorf, »Der Glaube der Hellenen«, I, S. 169–174.

48 *Ypen:* Eiben, von ahd. iwa, taxus.

Leyde daß ich dein gewey'ter dich grůsse: Leide daß ich deine
sinnen ergrůnde.
Go̊nne doch daß in so wichtiger sache / Ich was zu thun / was
zu lassen / erfinde.
Laß wie diß blutt auß der Ader entspringet /
Laß wie der rauch in die Lůffte vor dringet
Laß wo dich je ergetzt was dir zu dienst geschehn
Vns deß so schweren wercks gewůndschten außgang sehn.
Der du alle List erdacht /
Der du gifft zu wegen bracht /
Den der weise Brachman ehrt /
Den der Nack'te Lehrer ho̊rt /
Den der Indian gekro̊nt
Vnd mit Menschen blutt verso̊hnt.
Dem Chartag' jhr Kind vmbbracht /
Dem der Scyte gåste schlacht /
Dem man in der Juden Land
Erster Můtter frucht verbrand /
Dem der Celte Ko̊pff auffhenckt /
Vnd gefangner leben schenckt.
Wo du dem welcher dir die Knie geneiget /
Oft in gestalt der Schlangen dich gezeiget;
Wo dir geliebt / in vngehewren hecken
Durch zeichen / durch gesicht / durch licht vns zu erschrecken!
Wo deine lust / die lůffte zu bewegen /
Mit blitz vnd donnerschlågen;
Wo deine Krafft sich find't in vnterjrrd'schen klůfften /
In kalter Leichen grůfften:
Wo die verborgnen schåtze /
Sind vnter deiner Hutt;
Wo nichts das dich ergetze /
Geh / über Menschen blutt:
Wo du mit toller brunst die sinnen kanst entzůnden:
Vnd ware lieb' auffbinden:

75 *Brachman:* Brahmane.
76 Siehe Gryphius' »Erklårung . . .«.

Wo du in Nymphen dich / vnd Nixen oft verstellet:
Vnd dich zu Fraw vnd Mann gesellet: 100
[55] Wo du die Fraw dem Mann / den Mann der Fraw'n verschlossen /
Daß sie keiner Eh' genossen:
Wo du durch Bruder hand / die Brůder hast getődtet;
Vnd den vnschamhafften Sohn durch der Eltern blutt errőttet.
Wo du was kůnfftig offt erklår't 105
In einer Jungfraw'n eingeweide
Die durch deß eignen Vaters schwerdt
Geopffert in der wůsten Heide.
Wo eines Knaben abgehawen Haupt
Durch dich / was man nicht wust' / entdecket. 110
Wo fern ein Kind das von der Brust geraubt /
Mit nutz dir an den Pfaal gestecket /
Wo einer schwangern Leib / noch lebend aufgeschnitten:
Vmb dir genung zu thun / vmb dich zu ůberbitten:
Wo eine Mutter selbst was sie gebahr verzehrt 115
Alß du dich gůnstig hast zu jhr gekehrt.
Wo ich dein Priester bin / der niemals vnterließ
Mit solchen opffern dich zu ehren:
Wo ich der Frawen Hertz warm auß den Brůsten rieß
So laß mich gnådig antwort hőren. 120
Wo ich was heilig / stets entweyet:
Vnd was gesegnet ist vermaledeyet;
Sol vnbeflecktes blutt ich morgen dir vergissen /
So laß mich klårlich' antwort wissen:
Wo die verborgne krafft der frembden wort vnd zeichen 125
Die ich beginne:
Dich / Herrscher / måchtig zu erweichen
So gieb / daß ich / was ich begèhrt gewinne:

Nach diesem macht er etliche figuren vnd murmelt eine zimliche weile.

n. 128 C etliche frembde Zeichen

Sehr wol! ich bin erhört / der Sternen glantz erbleicht /
Der Himmel steht bestürtzt / der Löw / der Bår entweicht /
Die Jungfraw scheust zurück / die dicken lüffte blitzen /
Der Erden grund erbebt / die wåch'sne Bilder schwitzen
Wie bållt die Hecate! die flammen brechen vor
[56] Erschrick nicht! Schaw der Geist? hier dient ein achtsam ohr.
Der Geist. Deß Keysers Thron zubricht / doch mehr durch list / alß stårcke /
Wo man kein blut vergeußt / geht man mit Mord zu wercke:
Der Kercker wird erhöht / wo euch nicht zweytracht schlegt:
Du: suche keinen Lohn / dir wird / was Leo trägt.
Jamb. Volbracht! wirf hinder dich mein Sohn was ich dir gebe.
Schaw nicht zu rücke biß der Geist die sach' aufhebe.
Er fleucht. raum alles weg / trag / ruthen / zeug vnd licht
An den bestimbten orth? wie? taug die antwort nicht?
Wie stehst du so bestürtzt? Verschw. Mir zittern alle glieder!
Ich weis nicht von mir selbst. Jamb. Ist dir der spruch zu wider.
Verschw. Nein warlich / ob er zwar in etwas dunckel scheint:
Ich bitt' erklåre mir was Er vor Oerther meynt
Da man kein blutt vergeußt: Jamb. die durch das recht befreyet.
Als Kirchen: als Altår vnd was mehr eingeweyet.

130 Die Sternbilder des Bären traten durch Medeas Zauber unter den Meereshorizont. Siehe Seneca, »Medea«, 758 ff.

133 C raast die
Vgl. dazu Seneca, »Medea«, 840 ff.
Vota tenentur: ter latratus
audax Hecate dedit et sacros
edidit ignes face luctifera.
(Meine Gebete sind angenommen: dreimal ließ ihr Gebell die verwegene Hekate ertönen und ließ heilige Feuer erscheinen an ihrer trauerbringenden Fackel.)

140 BC still! bleib biß der Geist auffhebe

V e r s c h w. Doch wie versteh' ich diß? du suche keinen lohn:
Dir wird was Leo trågt: J a m b. was trågt er als die Kron? 150
V e r s c h. genung. du solt mich nicht mein freund vndanckbar finden:
Die angesetzte zeit wil denck ich fast verschwinden:
Ich geh'. J a m b. Er fengt das werck zwar vnerschrocken an.
Vnd fůhrt es glůcklich auß doch wo ich rathen kan
Mit klein' auch keinem nutz. Was vns der Geist erklåret: 155
Sieht doppelsinnig aus. dir wird zu lohn bescheret
Was Leo trågt / Ja wol. was trågt er? Cron vnd Todt!
Ich fůrchte daß man dich erdrůck' in gleicher noth.
Ich habe die gefahr vorsetzlich dir verborgen:
Doch was der Abend nicht entdeckt / das lehrt der Morgen. 160

Der Dritte Eingang.

Der von Crambe. Die zusammen Geschwornen. Ein Diener.

So gehts! wenn vnß das glůck mit sůssem mund' anlacht.
[57] Denn trotzen wir den Todt vnd brechen alle macht
Der strengen Zepter eyn. Denn muß der grund der Erden
Erzittern vnter vnß vnd schier zu aschen werden.
Wir reissen Berg' entzwey vnd spalten Felsen auff. 165
Wir hemmen schier dem Pont den strudelreichen lauff.
Der Ister muß sich nicht auf vnser Land ergiessen.
Die grosse Thetis selbst lernt vor vnß stiller fliessen.
Wir gehen Bůndnis eyn / die mächtig was die welt
Vnd der gewölck'te Baw in seinen schrancken helt 170
Zu zwingen an ein Joch. Doch wenn die lůfft erhitzen
Vnd dicker wolcken nacht vnß wil zu lichte blitzen.

150 Siehe Gryphius' »Erklårung . . .«.

Weiß niemand wo wir sind / der grosse mutt vergeht
Alß schnee / wenn Titan nun des Wieders horn erhöh't
So schnell als vns der mund / so langsam sind die hände:
Der anfang brenn't vnd glüet / das mittel mit dem ende
Verkehrt die kält' in Eys. 4. Versch w. ruckt vns diß
jemand auff?
Vns? die die grimme noth nicht in dem schnellen lauff
Der Rach' auffhalten mag. Die schier die gluth vmbgeben
In welcher Michael für vnser gutt vnd leben
Leib / blutt vnd Geist auffsetzt. vns? die die herbe nacht
Einmüttig / sonder furcht vnd argwohn durch gebracht.
Vns / die biß noch von nichts / alß wie sein Schloß zu brechen
Vnd wie der / der jhn stürtzt vom Thron zu stürtzen /
sprechen.

Cramb. Da als der Lew' auf blutt / vnd mord / vnd
würgen drang
War kein behertzter Held der Jhm entgegen sprang.

4. Versch. Wer / wo kein Vortheil ist ein grimmes Thier
verletzet:
Gleicht dem / der ohne Pfeyl vnd Hunde Lewen hetzet.

Cramb. Man greifft / wo / wenn / vnd wie man mag
Tyrannen an.

4. Verschw. Der warn't wer nicht zugleich angreift vnd
tödten kan.

Cramb. Ein schnelles schwerd verricht weit mehr denn
langes dichten:

4. Verschw. Ein kluger Kopff kan mehr denn tausend
spieß' außrichten:

[58] Cramb. Wer alles überlegt / führt keinen anschlag
aus:

4. Verschw. Schickt thoren nach der glutt / so brenn't
ewr gantzes hauß.

Cramb. Kan nun / ein kluger Kopff deß Keysers flamme
dämpfen?

4. Verschw. Kan nun ein schnelles schwerd mit so viel
scharen kämpfen?

Cramb. Wer zweifelt. 4. Versch. Zwar nicht ich. der deinen Muth erkand.
Dafern man sonder feind. Cramb. schaw' an denn ob die Hand
Dem muth in kråfften gleich; 1. Versch. Was thut jhr? 4. Versch. Last versuchen /
Ob er so hoch behertzt zu fechten alß zu fluchen / 200
Cramb. Laß loß. laß loß. Wie nun? 4. Versch. Ich bitt euch halt mich nicht.
2. Versch. Bedenckt doch wo wir sind! diß tolle rasen bricht
Den festen Bund entzwey / diß wůtten wird entdecken
Was wir mit so viel list vnd eyden kaum verstecken.
Habt jhr zu kåmpffen sinn? stoßt das behertzte Schwerd 205
In deß Tyrannen brust der ewren todt begehrt.
Renn't die Trabanten an / die Maur' vnd Thor besetzen.
Die vmb den Kercker stehn. Wenn wir vnß selbst verletzen:
So ist es Michael vmb deinen Halß gethan:
So fallen wir mit dir / so gehn wir eine bahn 210
Nach der entdeckten grufft. Kan Leo mehr begehren
Alß daß wir vnser Schwerd auf vns're Hertzen kehren.
4. Versch. Er ist nicht der der mich vnd jeden trotzen kan!
Cramb. Noch Er / der mich vnd euch sol hônen: 2. Versch. schawt doch an
Die angst so vns vmbgibt. Die auff den wellen rasen / 215
Wenn die ergrimm'ten Nord' in alle Segel blasen.
Wenn das bestůrmbte Schiff von klipp' auff klippen renn't.
Vnd sich bald hie bald dort in stůck vnd scheitter trenn't.
Sind vnwehrt daß ein Mann jhr schweres Ach beklage /
Gebt meinem Rath gehôr / vnd lôscht mit erstem tage / 220
Mit vnsers feindes blutt die heissen flammen aus /
Muth / Kůnheit / Leib vnd Ruhmb / vnd vnser heil vnd Haus.
[59] Erfordert diß von euch. Der mag der stårck'ste bleiben;
Der durch die gurgell wird sein Schwerd dem Keyser treiben.

Mehr gibt die stille zeit der schwartzen nacht nicht zu
Geht / biß die Morgenro̊th vnß wider rufft / zu ruh'.
Cramb. Wer da! Diener. Mein Herr! Cramb. was
ists. Dien. Ein frembder an der Thůre
Begehrt daß man alßbaldt jhn in dein Zimmer fůhre:
6. Versch. Wir sind verrathen! Cramb. frag jhn was
er von mir wil.
Diener. Er schlegt mir nachricht ab. 1. Verschw. O
zufall! Cramb. hat er viel
Von Dienern an der seitt? Dien. Mein Herr! er ist alleine.
Cramb. Bewehrt. Dien. Nicht sonders! Cramb. sagt.
was důnckt euch! 6. Versch. Ich vermeyne
Daß die zusammenkunfft durch arglist sey entdeckt:
Daß vmb dein gantzes Hauß gewaffnet Volck versteckt /
Daß man mit list zu vnß gesonnen einzudringen:
Ja daß der Keyser vnß heist bey der nacht bespringen:
1. Versch. Vmbsonst! so lang ich noch die finger regen
kan.
Jhr Helden / greifft zur Wehr: es geht vns samptlich an:
Viel besser / seinen feind mit seiner Leich erdrůcket
Alß in der Hencker strick / ohn gegenwehr ersticket.
Cramb. Wer weiß noch ob es so: Ich wil ins Vorhauß
gehn.
Vnd ho̊ren was er sucht. II. Versch. Wir wollen bey dir
stehn:
Weil vnß die Brust hier klopfft: Cramb. bleibt jhr alhie
verborgen.
Biß ich vmb beystand schrey / vielleicht sind diese sorgen
Gantz eitel. 2. Versch. Stelle dich / alß ob du erst
erwacht.
Cramb. wol. 2. Verschw. reiß die Kleider loß. Ach
kummerreiche Nacht!
III. Versch. Auß kummer wird die ruh': auß vnlust /
lust gebohren.

232 C Cramb. Gewaffnet! Dien. Nein. Cramb. Sagt an /
was

Die vors gemeine gutt zusammen sich verschworen.
Die muntert arbeit auff. II. V e r s c h. mich schreckt die arbeit nicht.
Wer sich vor noth entsetzt / dafern die Angst einbricht 250
Vnd das gesteckte ziel verkehrt muß vntergehen;
[60] Wenn Helden nach der angst auff schmertz vnd grabe stehen.
Der Seuffzer reitzt mich an! gleich als der flammen macht
Die man verbergen wil / in jhrer eng' erkracht
Vnd durch das krachen lebt. I. V e r s c h. wol Helden: spart' die worte. 255
Vnd greifft die Waffen an. Wir stehn auf diesem ortte
Auff dem man siegen muß. 2. V e r s c h. wenn dieser vnterliegt
Der mich zu stůrtzen sucht / hab ich im fall gesiegt.
1. V e r s c h. Recht: der ist lobens werth / der wenn er nun muß springen /
Diß was jhn zwingen wil / kan mit zu boden dringen. 260

Der Vierte Eingang.

Der von Crambe. Die Verschwornen.

C r a m b. Nur muth! die furcht ist falsch die vnß jtzt ůberfiel.
Jhr kenn't den Theoctist. 1. V e r s c h. Ja. meld' vnß waß er wil.
C r a m b. Durch jhn låst Michael vnß seine meynung wissen:
2. V e r s c h. Wie! můndlich? C r a m b. Nein durch schrifft. 1. V e r s c h w. last vns den briff entschlissen.
C r a m b. Es ist ein klein Papier mit wachs gantz ůberdeckt. 265
3. V e r s c h. gemach! es geht schon ab. Hier ist die schrifft versteckt.

262 C Was ist diß vor ein Spill?

4. Versch. Ist diß sein Petschafft. Cramb. Ja: 6. Verschw. was mag jhn doch beschweren?
Cramb. Ist diß wol fragens werth? 6. Verschw. kom liß vnß sein begehren:
Cramb. Durch euch kom' ich / vnd jhr durch mich / in höchste noth:
Find't mich der morgen hier / so trifft euch Pein vnd todt.
1. Versch. Ich schawe keinen weg jhm noch die nacht zu rathen /
Die Burg ist starck besetzt / die Thore mit Soldaten
Versichert vmb vnd vmb / der ehrnen Riegel macht
Schleußt allen zugang ab. 3. Versch. Hat er zu wegen bracht
[61] Daß Theoctist den weg durch Thor vnd Schloß gefunden;
Warumb denn zweiflen wir? wir? die wir nicht gebunden:
1. Versch. Ein Mensch kom't leichter von dem Hoff alß viel hienauff.
Cramb. Vermag ein einig Mensch mehr denn ein gantzer hauff?
I. Versch. Ja freylich wenn man sich in Fuchßfell muß verkleiden
Cramb. Es gilt die Lewen haut. 1. Versch. Diß wil die zeit nicht leiden.
Cramb. Dafern vns was er drewt den morgen überfäll't /
So leiden wir den tod den vnß die zeit vorstell't.
2. Versch. Es sey nun daß man vnß dem Keyser hab entdecket:
Es sey daß Michael vns nur durch wortt erschrecket /
So rath' ich: saumbt nicht mehr / diß was wir in gemein
Beschlossen: glaub't es fest! kan nicht verschwiegen seyn /
Dafern man länger ruht. 5. Versch. Ist jemand hier zu finden
Dem man Verrätherey mit warheit auff kan binden?

267 *Petschafft:* Siegel.

2. Versch. Betreug dich selber nicht: das todte marmor hört
Was man von Fürsten spricht. Diß bild / der pfeyler lehrt 290
Was wieder sie gedacht / vnd kan von vnraht sagen.
1. Verschw. Vnraths mehr denn zu viel / last vnß nach rath vmbfragen.
Cramb. Schafft auffruhr in der Statt. 1. Versch. Wie? wan? in einem nue.
2. Versch. Erbrech't die Burg mit gold. 1. Versch. Wer spricht der Wache zue?
Wer liefert vns das geld? wird man so rawe sinnen 295
Vnd so viel toller Köpff' in einer Vhr gewinnen?
5. Verschw. Hört meinen anschlag an: Wenn man den Vierten theil
Der nacht außblasen wird; muß in geschwinder eyl
Die Rey der Priester / der die Burgkirch anbefohlen
Sich finden auff die Burg. Man kan mit jhr verholen 300
Eindringen durch die Wach / Es wird mit höchster pracht /
Das heilig hohe Fest der frewdenreichen nacht /
In der die Jungfraw hat deß Höchsten Sohn gebohren;
In dessen gegenwartt / auff den wir vns verschworen /
[62] Begangen / wie man pflegt: Auff denn vnd legt euch an 305
Alß Priester! werfft den Helm / vnd was vns hindern kan /
Nur hin; das schwerd verbergt in außgehöl'te kertzen:
Vnd nembt den Tempel eyn / biß daß der Brunn der schmertzen /
Das vngehewre Thier / vnwissend seiner noth
Vnwissend dieser macht! dem längst verdienten todt 310
Getrost entgegen geh'. 1. Versch. Hier ist zu überlegen /
Mein bruder / was zu thun? Wenn jemand auf den wegen /
Wenn einer in der Kirch vns in dem kleidt erkenn't /

299 C Schloßkirch'
311 C sich einzuliefern komm'.
313 BC Ja in dem Tempel selbst uns

Das vns nicht zimblich ist. 2. Versch. so fållt man in die
Hånd
Der grausamkeit. 5. Versch. die nacht bedeckt vnß auff
der gassen /
Die Priester pflegt man stracks ohn' einred' ein zulassen:
Im Tempel kan man sich verbergen hier vnd dar:
Biß daß der Fůrst erscheint. Denn werfft jhn auff die bar.
3. Verschw. Noch eins: Wir můssen all' auff einmal jhn
bespringen /
Verziht denn / biß man ho̊r' jhn mit den Priestern singen:
5. Versch. Diß mag das zeichen seyn; Wenn man das
ander Lied
Anstimmen wird / so geht vnd reißt das tode glied
Deß grossen Reichs hinweg. 3. Versch. Wir haben zeit zu
eylen:
Sag't an wo jhr bedacht in dessen zuverweylen.
Cramb. Warumb? wo denckst du hin. 3. Verschw. Ich
wil mich vmb ein kleid
Bekůmmern. Cramb. sonder noth. Man sol in kurtzer
zeit
Vns was erfordert wird in meinem Hause reichen:
Ich bitt' euch laßt vns nicht mehr von einander weichen
Biß nach vollbrachter that. 1. Versch. die grimme noth
verbind't
Vns alle: Wo nun Hånd vnd Helden kråffte sind /
Wo ein behertzter muth / der die geschwinden Pfeile
Der schwartzen angst verlacht / wo jhr die donnerkeile
Die stůrme rawen glůcks / alß Felsen in der See
Empfindet vnerschreckt / wo euch die grause ho̊h /
Der Klipp' auff der wir stehn in keinen schwindel stůrtzet:
[63] So haben wir die macht der Tyranney verkůrtzet.
Wo euch der ernste blick deß todes zaghafft mach't;

315 B Der ho̊chsten Grausamkeit. V. Versch. Das Dunckel deckt
die Gassen /
317 C Des Tempels weiter Raum versichert vor Gefahr
330 C wo ihr nun die inn'ren Kråfft empfind't;

So glaub't daß vns der tod bestimm't nach einer nacht.
Viel besser / denn sein blut / vnd muth / vnd gutt / vnd leben
Fůr das gemeine best' alß sonder nutz gegeben. 340
Mit kurtzem: Hier ist Ehr: wo euch die Ehr' ansteckt:
Hier noth; wofern die noth den schlaffen muth erweckt.
C r a m b. Dis schwerd / das ich anietzt mit dieser Hand entdecke:
Sol zeugen wer ich sey. Wo ich den Stahl nicht stecke
Dem Lewen in die Brust: so fahr er durch mein Hertz. 345
Euch / bitt ich! stoß ich nicht; wo mich der grimme schmertz
Den Arm nicht regen låst / so stoß't mich selbst zu grunde.
1. V e r s c h w. Diß ist mein vorsatz auch. Ich red' es mit dem munde.
Ich schwer' es mit der Faust. Die that sol bůrge seyn /
Daß ich Tyrannen feind. Daß nicht die furcht der Pein 350
Bestritten meinen Geist. die stunde sol erklåren
Ob dieser muth zu klein / den Thron in nichts zu kehren.
3. V e r s c h. Versichert euch dis fest / daß jeder willig geh'
Wohin diß werck vnß rufft / ehr wird die glutt in schnee.
Die flamm' in glåsern eyß / das Meer in graß sich wandeln. 355
Eh' einer wird verzagt / bey diesem anschlag / handeln.
C r a m b. Gold wird durch glutt / ein Held durch angst vnd ach bewehrt
Wer furchtsamb: leb' in noth: wer muttig: zuck' ein schwerdt.
Wolan denn / folg't / ich wil euch in dis Zimmer fůhren:
In welchen euch erlaubt alß Priester aus-zu-ziehren. 360

338 C unser Fall bestimmt nach diser Nacht.
350 C keine Furcht
360 BC In welchen unschwer / euch auff geistlich auszuzihren.

Reyen der Priester vnd Jungfrawen.

I. Satz.

Jungfrawen. Die Frewdenreiche Nacht:
In der das ware Licht selbstendig vnß erschienen
In welcher der / dem Erd / vnd See / vnd Himmel dienen
Vor dem die Ho̊ll erkracht /
Durch den was athem holt muß leben /
[64] Sich in das Thrånenthal begeben /
In welcher Gott kam von der Wolcken zelt;
Die werthe Nacht erquickt die grosse Welt.

I. Gegensatz.

Priester. Der jmmerhelle glantz /
Den Finsterniß verhůll't / den dunckel hat verborgen
Reißt nun die deck entzwey / die Sonne die ehr morgen
Eh' der besternte Krantz
Der Himmel weiten Baw geschmůcket /
Eh' Ewigkeit selbst vorgeblicket /
Hervor gestralt / in schimmerndlichter pracht;
Geht plo̊tzlich auff / in schwartzer Mitternacht.

I. Zusatz.

Jungfr. vnd Priester. Erden steh der Himmel bricht /
Doch nicht zutrennt von heissen Donnerkeilen:
Schaw't das gescho̊pff der Engel zu vnß eilen.
Weil der Scho̊pffer vnß zuespricht.
Doch nicht mehr mit schweren Wettern; nicht mit grimmer glut vmbringet:
Ach! man ho̊rt sein zartes winseln: weil sein hohes Feldheer singet.

II. Satz.

Priester. Wir jrr'ten sonder Licht.
Verbann't in schwartze nacht durch Gottes ernstes fluchen
Drumb wil der Segensheld / vns in dem finstern suchen
Ho̊rt jhr sein ruffen nicht?

Jhr die deß Höchsten bild verlohren:
Schawt auff das Bild das euch gebohren /
Fragt nicht / warumb es in dem Stall einzih'?
Es sucht vns / die mehr Viehisch alß ein Vieh. 390

[65] *II. Gegensatz.*

Jungfr. Der schatten nimbt ein end /
Die alte Prophecey wird durch diß Kind' erfüllet
Durch seine Thränen wird der Hellen glutt gestillet
Es beutt vnß mund vnd Händ.
Kön't jhr nicht vns're glieder kennen / 395
Wir mögen Gott nun Bruder nennen!
Er ist nicht mehr ein Fewer das verzehrt;
Der HERR hat sich in einen Knecht verkehrt.

II. Zusatz.

Priester vnd Jungfr. Ehre sey dem in der höh'
Der vnser fleisch mehr alß zu hoch verehret. 400
Der seine Gütt vnendlich hat vermehret.
Sein stets fester friede steh /
Länger als die Sonn' vns scheine: dieses Kind verley vns allen
Daß wir wollen seinen willen / daß wir jhm stets wol gefallen.

391 Vgl. 2. Kor. 3, 12 ff. – Siehe dazu Gerhard Kaiser, »Leo Armenius oder Fürsten-Mord«, S. 20 ff.

404 Zur Nacht-Licht-Metaphorik siehe allgemein: Kurt Goldammer, »Lichtsymbolik in philosophischer Weltanschauung, Mystik und Theosophie vom 15. bis zum 17. Jahrhundert«, Studium Generale, 13. Jg., 11, 1960, S. 670–682, und Josef Koch, »Über die Lichtsymbolik im Bereich der Philosophie und der Mystik des Mittelalters«, ebenda S. 653–670, sowie Herrmann Pongs, »Die Lichtsymbolik seit der Renaissance« I, ebenda S. 628–646. Speziell zu Gryphius siehe D. W. Jöns, »Sinnen-Bild«, S. 132–146 und 190 f. – Die besondere Bedeutung dieses Reyens innerhalb dieses Dramas wie des Gryphiusschen Gesamtwerks betonen und erläutern: A. Schöne, »Emblematik und Drama«, S. 165, und Gerhard Kaiser, »Leo Armenius oder Fürsten-Mord«, S. 29.

Die Fůnffte Abhandlung.

Der Erste Eingang.

Theodosia. Phronesis. Der Oberste Priester. ein Bothe.

Theod. Ach! grawen volle nacht! ha! schreckenreiche zeit!
Betrůbte Finsternis! Muß denn das grimme leidt
Deß kummers auch die Ruh deß můden schlaffs bestreitten?
Vmbgibt denn Throne nichts als rawe bitterkeiten?
Phron. Klagt jhre Majeståt? Was ists das sie beschwert.
Theod. Vns hat ein herber traum die kurtze rast gewehrt.
Die kalte Brust erstarrt / doch schwitzen alle Glieder
Der gantze Leib erbebt: Wir satzten vns was nieder
Als wir aufs Fest / geschmuckt: wie sich die Seel besann;
[66] Vnd jene Jahr betracht / sties vns ein schlummern an.
Die Erden wie vns dåucht' hub an entzwey zuspringen
Die Mutter schaw'ten wir aus jrem grabe dringen:
Nicht frőlich alß sie pflag / wenn sie den tag beging
Nicht / wie der Vater sie mit reichem Gold vmbhing.
Der Purpur war entzwey / jhr kleid lag gantz zurissen:
Die Brust vnd Armen bloß / sie stund auff blossen Fůssen.
Kein Demant / kein Rubin / vmbgab jhr schőnes haar
Das leider gantz zurauft / vnd naß von Thrånen war.
Wir kůßten jhr gesicht' / vnd ruff'ten: Ach: wilkommen!
Wilkommen werthe Fraw. Nun ist vns nichts benommen.
Nun dich der Herren HERR / den du so steiff gelibt /
Auß deiner gruben reist / vnd deinem Kinde gibt.
Leg alle Leid-tracht hin / vnd singe dem zu ehren
Der in der Krippen lach't. Die wůste klippen hőren
Der Engel jauchtzen an! die enge See erkling't
In dem Bizantz vol lust / Danck ůber danck anbringt.

Zum 1. Eingang hat C:
Theodosia schlummert auff einem Stull. Vor ihr stehet ihrer Frauen Mutter Geist / wie er allhir beschriben wird / welcher in dem sie auffwachet / verschwindet.

Ach! sprach sie / Ach mein Kind / vnd wand die blassen Hånde /
Es ist nicht jauchzens zeit! dein herrschen laufft zu ende.
Auff wo es nicht zu spåth (wo man noch retten kann
Nach dem der Todt schon greifft) vnd rette Sohn vnd Mann. 30
Die heil'ge Nacht bedeckt die hőchsten missethaten /
Die sicher Kirche; Mord! Ach! dir ist nicht zu rahten /
Sie wolte noch was mehr. Als eine Thrånen bach
Von beyden wangen schoß / vnd jhre wortte brach.
Jhr kam ein blutig schweiß auf jedes glid gefahren. 35
Die tropffen hingen als Corallen an den haaren.
Alß sie (ehr wir vermeynt /) in leichtem wind verschwand
Wurd vnser Purpur kleid in einen Sack verwand.
Wir jrr'ten gantz allein in vnbekandten Wůßten.
In welchen grimme Beer' vnd rawe Tyger nůsten / 40
Biß ein erhitztes Thier die klawen auf vnß schmiß
Vnd beyde Brůst abhieb / vnd vnser Hertz auß riß.
Da rieb die angst den schlaff von den bethrånten wangen.
Was hat der alles weiß / doch vber vnß verhangen!
Allwesend ewigkeit! Laß deiner blitzen macht 45
Der ernsten donner glutt / vnd was die ernste Nacht
Drew't deiner armen Magd / in tieffe gunst verschwinden /
[67] Doch / bitten wir vmbsonst; so laß diß Haupt empfinden
Was dein gericht außspricht. Nimb vnß zum opffer an
Vor den / ohn den das Land nicht ruhig leben kan. 50
Phron. Wo sorgen / da sind tråum'. Ein kummervol gewissen
Entsetz't sich auch ob dem das wir nicht fůrchten můssen.
Theod. Wo Zepter / da ist furcht! Phron. furcht ist nur spiel vnd spott /
Wo nicht zu fůrchten ist. Theod. O wolte! wolte GOTT!
Wo ist der Fůrst? Phron. Voran in Tempel. Theod. wir verweilen 55
Vns warlich hier zu lang! auf Jungfern / last vns eilen.

38 Siehe Gryphius' »Erklårung . . .«.

Obr. Priester. Mord! mord! Theod. Hilf Gott!
Was ists? Priest. Mord mord. Phron. wo?
Priest. beym Altar!
Theod. O Himmel! vnser traum ist leider viel zu war.
Phron. Princessin! sie bestůrbt! schawt wang vnd Lipp' erbleichen /
Der Augenstern erstarrt / als in entseelten Leichen:
Bringt Balsam / Narden / Wein: Princessin? sie vergeht.
Princessin! Theod. Ach sind wir zu diesem fall' erhöht!
Wo růhrt das vnglůck her? Priest. Ich kan den grund nicht wissen
Theod. Wo ist der Fůrst? Priest. Er blieb noch alß ich außgerissen.
Theod. Er blib / ja wol er blib / der nicht entkommen kan.
Phron. Ist jemand angetast. Priest. schawt meine wunden an.
Theod. Erzehle wie sich denn diß Trawrspiel angefangen:
Priester. Es war das dritte theil der Finsternis vergangen /
Alß sich der Priester Rey in Gottes Kirchen drang /
Man hub die Lieder an / der sůssen seitten klang
Ließ in der stillen zeit sich angenehmer hören.
Ein jeder wurd ermahnt die grosse Nacht zu ehren
In welcher der / der GOTT an macht vnd wesen gleich
Auß seiner herrligkeit / des höchsten Vaters Reich
Ankommen in diß Fleisch. Die Andacht ließ sich spůren
[68] Mit heilig heisser brunst / vnd steckte Hertz vnd nieren
Mit keuschen flammen an. die Seuffzer drungen vor.
Vnd stiegen fůr dem dunst des Weyrauchs hoch empor.
Der Fůrst hub selber an von Christus Heer zu singen:
Das kein Tyrann / kein tod / kein Hencker können zwingen.
In dem fält vnversehns ein vnbekandter hauff
Von allen ecken aus / vnd reißt die schrancken auff.
Die Priester von dem Volck / vnd Chor vnd Tempel scheiden
Man zeucht in einem Huy die Schwerdter aus den scheiden:

Auß kertzen / stock vnd Rock. Das schimmernde gewehr 85
Glåntzt schrecklicher bey liecht / vnd schůttert hin vnd her
Den schnellen widerglantz / ein jeder starr't vnd zaget
Vnd weiß nicht was er thut / vnd fragt den / der ihn fraget
Wie wenn der helle Blitz in hohe Tannen fåhrt
Vnd åste / stam' vnd strump in liechte glutt verkehrt / 90
Ein můder wandersmann bey so geschwindem krachen:
Nicht anders meynt / als daß er schon dem todt im Rachen.
Der grim bricht endlich loß / die Dolchen gehn auf mich.
Eh' ich die noth erkånt empfund ich diesen stich.
Ich schrie: jhr Helden schont! schont meiner greissen haare 95
Bedenckt die hohe zeit / jhr wůrgt bey dem Altare
Den / der euch nie verletzt. Sie wichen alß ich rieff
Vnd griffen ander an. Der weyn'te / jener lieff /
Der fiel / ich bin dem sturm / ich weiß nicht wie / entkommen.
T h e o d. Dem Fůrsten / zweifelt nicht / ist Leib vnd Reich genommen. 100
Das Wetter schlågt nach jhm! was sag ich? ach er liegt!
Der tollen feinde list hat ůber vns gesiegt!
Hat vnser linde-seyn die heisse flam entzůndet?
In der was wir gehabt / gesehn / gewůndscht / verschwindet.
P h r o n. Es ist noch vnklar. T h e o d. wie? kan wol was klårer seyn? 105
P h r o n. Princessin! ach sie stůrtzt sich vor der zeit in pein!
T h e o d. Princessin sonder Printz! Princessin sonder Crone!
Princessin sonder Land! die auß dem gůld'nen Throne
Der schlag in abgrund stôst. B o t t e. Verfluchte grausamkeit!
Nie vor erhôrter grim / Niemals verhofftes leidt 110
[69] Hat diß der Christen Feind / der Bulgar je verůbet?
Hat der erhitzte Perß. Vnd wer nur todschlag liebet /
Der wůßte Scyt versucht! T h e o d. Wir wissen was er klagt
Vns geht sein schmertzen an! fragt! nein / fragt nicht! ja / fragt!

89 C schnelle Blitz

Er melde was er weiß! Heißt jhn doch nicht verhǒlen
Wir bilden mehr vnß eyn / alß er vnß wird erzehlen.
Botte. Die Kirchen ist entwey't. Der Fůrst bey dem Altar
Erstossen; jhre Cron vnd leben laufft gefahr.
Theod. Mag die / die nicht mehr Herrscht / was hoffen alß
die Baare?
Entdecke welches Schwerdt vns durch diß Hertze fahre:
Die bittet / die gebott. Man zeig vns nur die Hand
Die vnser Seel entseel't. Botte. Was des geblůttes band
Was freundschafft / lange gunst / was Ruhmb sucht vnd
versprechen
Dem Michael verknůpfft. Hat seine noth zu brechen
Den blossen Dolch erwischt; Vnd in das Heiligthumb
Sich vnerkan't gewagt. Viel hat deß Fůrsten ruhmb
Mit tollem neydt befleckt. Viel die bey newen sachen
Vnd and'rer vntergang sich hoffen groß zu machen /
Stehn dieser Mordschaar bey! das wůtten war entbrand
Man rieff; stoß zu / stoß zu. Vnd die bewehrte Hand
Schlug nach deß Priesters Haupt / auß jrrthumb nicht auß
rache.
Alß vnser Fůrst voll muths / bey so verwirr'ter sache /
Ich weiß nicht wem / das Schwerd auß beiden fåusten rieß.
Vnd dem! der auff jhn schlug / nach Brust vnd schådel
schmieß /
Biß auff deß Feindes stahl die Kling' als eyß zersprungen.
Er schaw'te sich vmbringt! die Wachen fern verdrungen:
Die freunde sonder Rath: doch stund er vnverzagt
Alß ein erhitzter Lǒw / der / wenn die strenge jagt
Jhm alle weg' abstrickt / mit auffgespanten Rachen
Itzt Hund / jtzt Jåger schreckt / vnd sucht sich frey zu
machen.
Vmbsonst: weil man auff jhn von allen seitten drang /
Dem nun das warme blutt auß glied vnd adern sprang /

115 C nichts verstecken
116 C kan entdecken
123 C was Stattsucht

Er fůhlte das die kråfft' jhm algemach entgangen /
Alß er das Holtz ergriff / an welchem der gehangen
[70] Der sterbend vnß erlo̊st / den Baum an dem die Welt 145
Von jhrer angst befrey't: damit der tod gefållt /
Fůr dem die Ho̊ll erschrickt: denckt / rufft er / an das
Leben /
Das sich fůr ewer Seel an dieser Last gegeben.
Befleckt deß Herren Blut / das diesen stamm gefårbt.
Mit Sůnder blut doch nicht. Hab ich so viel verkårbt / 150
So schont vmb dessen Angst / den dieser stock getragen /
An JESUS So̊hn-Altar die grimme Faust zu schlagen /
Sie starrten auff diß wortt / wie wenn ein Felß abfålt;
Vnd der erzo̊rnten Bach / den stoltzen gang aufhålt
Denn steigt die flutt berg-auff / die tobe wellen brausen: 155
Biß daß der neundte schlag mit vngehewrem sausen /
Den anhalt ůberschwemt / vnd alles mit sich reißt
Vnd den bemoßten Stein in tieffe Thåler schmeißt.
Der harte Crambonit / begont' erst recht zu wůtten:
Er schrie: nun ists / Tyrann! nun ists nicht zeit zu bitten! 160
Vnd schwung sein Mordschwerd auff / das auf den Fůrsten
kam /
Vnd jhm mit einem streich so Arm' alß Creutz abnahm.
Man stieß in dem er fiel / jhn zweymal durch die brůste:
Ich hab es selbst gesehn / wie Er das Creutze kůßte:
Auff das sein Co̊rper sanck / vnd mit dem kuß verschied / 165
Wie man die Leich vmbriß / wie man durch jedes glied
Die stumpfen Dolchen zwang / wie JESUS letzte gaben /
Sein thewres fleisch vnd blutt / die matte Seelen laben /
Die ein verschmachtend Hertz in letzter angst erfrischt:
Mit Keyserlichem Blutt / (O grewell) sind vermischt. 170
T h e o d. Du schwefellichte brunst der Donnerharten
flammen /
Schlag loß! schlag ůber sie! schlag ůber vnß zusammen.

150 *verkårbt:* verschuldet, vgl. ins Kerbholz geschnitten, auf dem Kerbholz haben.
156 BC zehnde

Brich abgrund brich entzwey / vnd schlucke / kan es seyn /
Du klufft der ewigkeit vnß vnd die Mőrder eyn!
Wir jrren / nein nicht sie! nur vns / nur vns alleine /
Sie auch! doch fern von vns / wer weynen mag der weyne.
Der Augen quell erstarrt / wie ists! wird vnser Hertz
In harten stahl verkehrt? růckt vns der grimme schmertz /
Das fůhlen auß der Brust? Wird vnser leib zur Leichen?
Komm wo der Wetterstrahl / das Haupt nicht wil erreichen:
[71] Wo fern die Erde taub: kom du / gewůndschter todt!
Du ende schwartzer angst! du port der wilden noth!
Wir ruffen dem vmbsonst / der die betrůbten meidet:
Vnd nur den Geist antast der keine drangsal leidet /
Komm't jhr! jhr Mőrder komm't. Vnd kůhlt den heissen mutt
Die hell-entbrandte rach' / in dieser adern blutt.
Der Fůrst ist noch nicht hin. Weil wir die glieder regen /
Er lebt in dieser Brust. Kom't an / vnd stost den degen
Durch diß / das in mir klopfft / ein schnelles vntergehn
Ist ein gewisser trost / wenn man nicht mehr kan stehn.

O. Priest. Princessin! der sie schueff hat diesen tod verhangen /

Theod. Vnd der verhångt daß wir nach vnser grufft verlangen.

Priest. Er heist vns mit gedult vmbfassen was vns drůckt.

Theod. Wie daß er denn gedult nicht mit dem Creutze schickt?

Priest. Mag wol ein ůbel seyn / das trost nicht kan erreichen?

Theod. Mag wol ein ůbel seyn / das vnserm sey zu gleichen?

Priest. Gott legt vns nicht mehr auff / denn man ertragen kan:

Theod. Er nim't / auf einen tag / Thron / Crone / Reich vnd Mann.

Priest. Er nimt' / Princessin! das / was er vorhin gegeben:

Theod. Nur eines nim't er nicht / was man nicht wil: das Leben. 200
Priest. Er průft in heisser angst als gold / die / die er liebt.
Theod. Die / die er haß't gehn frey in dem er vnß betrůbt.
Priest. Der euch die wunde schlegt / kan alle wunden heilen.
Theod. Vnheilsamb ist der schlag der Hertzen kan zutheilen.
Priest. Was scheidet nicht die zeit / der todt bricht alles ab. 205
Theod. Der Fůrst muß vor der zeit in sein betrůbtes grab.
Priest. Der stirb't nicht vor der zeit / der seine zeit beschlossen:
Theod. Mit blutt / das in der Kirch' auff Gottes Tisch vergossen.
Priest. Man stůrbt nicht wie man wůndscht / nur wie der hŏchste wil!
Theod. Wil dann der hŏchste mord / vnd solche jammer spiel? 210
Priest. Kan wer / der sterblich ist wol sein gericht begreiffen?
Theod. Sprecht so! vnd lehrt das Volck vom Throne Printzen schleiffen!
[72] Halt inn mit deinem trost. Die schmertzen sind zu schwer /
Die wunden sind zu frisch / das klingende gewehr
Erzittert vor der Thůr: Auff Geist / die Mŏrder kommen! 215
Wolan! laßt vns getrost. Dem / den sie vns genommen
Nach-wandern! auff / mein Geist. Die acht den Feind nicht viel
Die Keyserlich gelebt / vnd Fůrstlich sterben wil.
Ade! Weyn't nicht vmb mich! thue auff! hier nutzt kein schliessen!
Thue auff! Man muß den tod in dem er ankomm't / grůssen. 220

Der Ander Eingang.

Der Erste hauffe der Verschwornen / Theodosia.

1. Verschw. Das demand feste Joch der grausen
Tyranney
Die felsen schwere Last der rawen Henckerey
Der Zepter von Metall / der Thron auff blutt gesetzet /
Die all-verzehrend angst / die Stått vnd Feld verletzet
Vnd was ein grimmer Fůrst noch mehr bringt auf die bahn;
Ist durch vnß / ob wol spåth / doch entlich / abgethan.
Ew'r Herrschen ist nun aus. Das vngezåum'te toben /
Der alle schlagend' arm ist in die Lufft verstoben:
Lern' jetzt / die du regir't gehorchen: vnd versteh;
Daß offt nur eine nacht sey zwischen fall vnd hôh'.
2. Verschw. Das hart betrångte Land / das seiner
schweren bůrde
Entledigt; schôpfft nun lufft / vnd jauchz't nun ewer wůrde
In solchen hohn verfål't / doch klaget jederman
Daß man nicht nach verdienst Tyrannen straffen kan.
Er liefert einen Leib vor tausend schelmereyen:
Wenn ein gemeiner fåhlt: den fristet kein verzeyhen.
Man setzt auf schlechte schuld / Rad / Mordpfal / Strick vnd
Schwerd /
Oel / siedend Bley vnd Bech / ein glůend-eysern Pferd /
Er wird durch boßheit groß: vnd blůht wenn die vergehen:
Die vor die Redligkeit mit Hertz vnd armen stehen.
[73] 1. Verschw. Was kan man endlich thun? wer / was
man schafft auf fast:
Dem legt er so viel auf / biß die gehåufte Last
Jhm Nack' vnd Ruck' eindrůckt. Darff einer jhm versagen /
Mehr / alß wol môglich fåll't (wie groß der mutt!) zu
tragen:
Dem schmiert er auffruhr an! der hat das Volck verhetzt /
Den Printzen angetast / die Majeståt verletzt /

Den raum't er aus dem weg' hatt einer mehr zu wagen
Alß sich? denn wer nicht schlegt Tyrannen: wird geschlagen!
Theod. So habt jhr / wie jhr ruͤhmbt / Tyrannen
vmbgebracht?
1. Versch. Wer zweifelt? Theod. hoͤrt vns an! wer
setzt euch in die macht? 250
Wer traw't euch dieses Schwerdt? wer hat euch so begabet?
Daß jhr / die jhr vor nichts / nun mehr den alles habet:
Wer? Der den jhr nur schmaͤht. Alß er mit hoͤchster pracht
Euch neben sich erhub vnd schier zu Goͤttern macht /
Wer war er? ein Tyrann? Jhr sung't mit andern zungen. 255
Itzt / nun das Bubenstuͤck / nun euch der mord gelungen:
Heist er: Ich weiß nicht wie? so lang ein Fuͤrste giebt.
Vnd die / die es nicht werth / als wolverdiente liebt.
Vnd aller geitz mit Gold vnd Ehren sucht zu stillen:
Den muß sein lob das Reich / sein Ruhm die welt erfuͤllen. 260
So bald er nicht mehr schenckt / ja nicht mehr schencken kan /
So bald er auffruhr strafft / steckt euch die vntrew an.
So bald die Pest euch reitzt / vnd Schelmen sich verbinden /
Die Lust zu newer macht / vnd statt sucht leicht entzuͤnden;
Denn wird er ein Tyrann: Man laͤstert den / der liegt. 265
So wird ein todter Loͤw' offt von der Mauß bekriegt.
2. Verschw. Der Loͤwe / dem diß Schwerdt das leben
abgekuͤrtzet!
Theod. O Ruhmbs verdiente sach' / jhr hab't in todt
gestuͤrtzet
Wehn? einen! jhr so viel! jhr habt in schwartzer nacht
Verraͤther! mehr durch list alß wunden / vmbgebracht / 270
Den / dem jhr offt vorhin meyneydige geschworen:
Was habt jhr wider den vor Waffen nicht erkohren /
Der vngewaffnet ging; mag dieser grausamkeit
[74] Was zuvergleichen seyn? Jhr habt die grosse zeit /
In der sich GOTT vns gab / mit Fuͤrsten mord' entweyet; 275
Vnd in den heilgen orth / der schuldige befreyet

268 C Ruhmswehrte Sach! ihr habt von seinem Thron gestuͤrtzet /

Vnschuldig blutt gesprůtzt: wer jtzund zweifeln kan
Ob jhr noch Christen seyd; Schaw in dem Tempel an
Den gantz zustůckten Leib der auf dem Creutze lieget.
An welchen JESUS hat der Hôllen obgesieget:
Deß HERREN wares Fleisch: das jhr mit blutt besprengt /
Sein blutt / das jhr mit blutt deß Keysers habt vermengt.
2. Verschw. Es liegt nicht dran, wie / wenn / vnd wo man bôsen stew're.
Theod. Ein Mensch macht vnterscheid / nicht jhr. Jhr vngehew're.
1. Versch. Man strafft die schuld mit recht / Theod. Wer gibt euch diese macht?
Ein Fůrst fåll't dem allein / der in den Wolcken wacht.
Der in den Thron vns setzt / kan auß dem Thron vns bannen.
2. Verschw. Der minste von dem Volck' ist Halß Herr deß Tyrannen.
1. Versch. Der hôchste fůhrt sein Recht / durch Menschen armen aus.
2. Verschw. Vnd stůrtzt durch Menschen umb Tyrannen vnd jhr Haus.
Theod. So kan man sonder můh' ein schelmenstůck' verblůmen!
1. Verschw. Nenn't man ein schelmenstůck / was tausend Seelen růhmen?
Theod. Vnd zehnmal tausend schmehn! 2. Versch. weist du wem du dis sagst?
Theod. Dir / der du mit dem Mord Gott zu gericht' austagst.
1. Versch. Dein leben / blutt / vnd tod beruht in diesen hånden:
Theod. Drumb eilt / das jammerspiel mit vnserm tod zu enden.

288 Vgl. in Pieter Hoofts »Geerardt van Veelzen«: »De minste van het volk is Halsheer des Tyrans.« Siehe dazu Roeland A. Kollewijn, »Über den Einfluß des holländischen Dramas auf Andreas Gryphius«, Phil. Diss. Leipzig 1880.

2. Versch. Der muth / der ehr man ernst verspůret / heff tig groß
Nimbt / wenn noth einbricht / ab. Theod. stoß zu die brust ist bloß.
Meynt jhr / daß Leo todt? Er lebt in diesem Hertzen:
[75] Vnd ruffet rach' aus vns. Wir sind durch seine schmertzen / 300
Durch seine wund entleibt. Sein Geist ist der vns regt
Der athem schôpfft in vns. Der diese faust bewegt
Der in den adern schlågt / komm't ôffnet jhm die Thůre /
Den Kercker / dieses fleisch / daß er vns mit sich fůhre.
Doch braucht dasselbe Schwerd / das durch sein Hertze ging / 305
Alß sein zu stůckter arm / den grausen tod' vmbfing.
Nichts schôners / alß wenn zwey so fest verbund'ne Seelen
Auff eine zeit vnd orth zihn aus deß Leibes hôlen.
1. Versch. Nach dem die Helden faust den Lôwen hingericht.
Vor dem die welt erbeb't / Ach't man die hůnde nicht. 310
Auch sol kein Frawen blutt / den schônen stahl beflecken.
Den ins Tyrannen brust die wehrte Nacht fand stecken.
2. Versch. Ein ander tôdte dich / diß ist vns mehr denn viel
Daß dein bestůrtzter Geist den tag nicht schawen wil.
Es ist vns mehr denn viel / daß wir dich tôdten kônnen 315
Vnd doch / (was du dir selbst mißgônst /) das leben gônnen.
Theod. Barmhertzig grausamb seyn! geschmůnckte Tyranney /
Mit gold verdecktes gifft! gelinde Barbarey!
1. Verschw. Folg vns. Theod. wo gehn wir hin? welch elend ist verhanden?
Was hat man mit vnß vor? sol dieser Leib in banden 320
Verschmachten sonder trost: stelt man der tollen schar
Deß Pôvels / diesen Halß / zu einem opffer dar?
Kom angst / wie groß du bist / vnd eile dieses leiden

310 C der Hunde
312 C hiß stecken.

Den kummer vollen Rest deß Lebens abzuschneiden.
Ade / beherrschtes Reich / Ade besess'ner Thron! 32
Ade / verlohrner Hoff / Ade geraubte Cron!
Ade du pracht der welt! Ade verwirr'tes leben:
Das überzuckert gifft / beperl'tes Creutz vmbgeben /
Palläste voll von Angst / jhr Zepter / schwer von weh.
Du Purpur roth von blutt: wir scheiden hin / Ade / 33

Der Dritte Eingang.

Michael. Der ander vnd erste hauffe der Verschwornen / Theodosia. Die Leiche Leons.

[76] JHr geb't / den mir an jtzt licht /freyheit / Seel vnd Leben!
Jhr gebt den mir mich selbst: was werd ich wider geben;
Ich der auß tod vnd grufft vnd angesteckten brand /
Vnd was mehr schrecklich ist / aus deß Tyrannen hand
Durch ewre trew erlöß't den grossen Thron besteige: 33
Vnd der bestürtzten welt mit meinem beyspiel zeige /
Daß Freundschafft über Cron / Lieb' über Zepter geh'
Daß ein verhaßter Fürst auff trübem Sande steh.
Er liegt denn der mich stieß / ich Herrsch' in diesen Ketten
In welchen ich den Stuel gedencke zu betretten / 34
Auß dem der Löw gestürtzt. Wie werd ich diesen muth
Belohnen der vor mich das vnverzagte blutt
In höchste noth gewagt. Werd ich wol etwas finden /
Das kräfftig mich vnd euch noch stärcker zuverbinden?
Doch ob der arm zu schwach! glaubt daß die grosse welt 34
Die jhr auß schwartzer Angst in guld'ne freyheit stelt:
Glaubt daß das weite Reich das jhr in wenig stunden /
Doch durch nicht wenig muth / auff ewig euch verbunden:
Glaubt / daß wer hier vnd dar / biß auff die edle nacht
In Kercker: in Metall / in Felssen schier verschmacht: 35
Glaubt / daß wer nach vnß sol ans liecht gebohren werden /
Euch / Helden rühmen wird. Ja wenn der Kreiß der Erden

In flammen nun vergeht: Wird ewre treffligkeit /
Bekro̊nt mit stetter Ehr. Verlachen tod vnd zeit.
Theod. Ach brunn quell vnser angst! Mich. ha! Wittbe
deß Tyrannen! 355
Ew'r binden ew're macht: ewr brennen vnd verbannen
Verbann't sich nunmehr selbst! Theod. diß ist noch
vnerho̊rt
Daß einer der so hoch erhaben vnd geehrt /
Daß einer / dem so offt so hohe schuld vergeben /
Dem wir zu vnserm tod' erhalten bey dem leben? 360
Vnß grausam nennen sol! doch haben wir erweist
So viel / das wer nur ist / mit recht vnß grausamb heist.
In dem / wir dir so weit die Zůgel lassen schissen /
Vnd auß der flamme dich / die du verdient gerissen!
[77] Hat vns're grimme faust daß scharffe Schwerdt
gewetzt: 365
Das dein blutgeitzig arm an vnsre gurgel setzt?
Der ist / es ist nicht ohn / der grausambst auff der Erden.
Der an sich selber muß / wie wir / zum Hencker werden.
Mich. So fålt / wer gruben macht / fůr ander selbst hineyn.
Theod. So kriegt man hohn fůr danck / fůr lange wolthat
pein. 370
Mich. Man krigt was man verdient. schwer' angst / fůr
schwere Sůnden.
Theod. Wol! so wird mit der zeit / dich auch die rache
finden.
Mich. Wer / was nicht vnrecht / thut / schrickt vor der
rache nicht.
Theod. Ists recht daß man den Eydt / vnd Fůrsten Hålse
bricht.
Mich. Wenn Fůrsten jhren Eydt zum ersten selber brechen: 375
Theod. Wen stieß der Keyser vmb / sein hochbethew'rt
versprechen.

356 C Eu'r grausamst-rawe Macht;
368 C Der durch Mitleiden muß sein eig'ner Hencker werden.
370 C Hohn vor Gunst / vor Wolthat / Schmertz und Pein.

Mich. Das weist sein leben aus vnd sein erschrecklich end.
Theod. Ein laster wird vor recht / nicht auß dem tod erkennt.
Mich. Das Recht ist vor das Volck / auf Fůrsten schleifft man degen.
Theod. Die werden ůber dich zu letzt auch Vrthel hegen.
Besteig mit diesem wundsch den offt gesuchten Thron /
Nimb die / durch list vnd blutt / vnd mord / erworb'ne Kron
Vnß ist der hoff bekandt / das vnrecht der Pallåste:
Die Mißgunst / falsche trew' / vnd die verfluchten gåste
Der Fůrsten: můh vnd furcht. Erheb dich / wie du wilt:
Schlag / rase / to̊dt vnd stoß / weil deine stunde gilt.
Erheb die neben dich / so vnser blutt gefårbet /
Die gro̊sser Ehr vnd glůck durch vnsern fall geerbet.
Erheb was meyneydt mehr als redligkeit gelibt
Was sich in Fůrsten mord so meisterlich geůbt.
Was måchtig Kirch vnd Hoff vnd Kercker zuerbrechen.
Vnd wetz' ein Schwerd das dir noch wird die brust durchstechen.
Mich. Du weist was kůnfftig ist / doch nicht dein eigne noth.
Theod. Die deinem Jammer rufft. Mich. du ringst nach deinem todt.
[78] Der vor der Thůren wacht. Theod. wir bitten vmb das leben
Das du vns schuldig bist / heiß Schwerd heiß dolchen geben.
Vnd enden vns're quaal / versich're deine macht /
Beweise was du kanst / vergo̊nne daß die nacht
Mit stetter Finsternis mein ewig leid bedecke:
Vergo̊nne / daß man die in eine grufft verstecke:
Die eine Lieb' ein' Eh' / ein Thron / ein Reich / ein Stand /
Ein Hertz / ein Geist / ein Fall / ein Vntergang verband.

378 C Erschrecklich / nicht durchs Recht / nur durch der Mo̊rder Hånd'.

M i c h. Mir nutzt dein sterben nicht / dein Leben kan nicht schaden
Mir kan dein leben ruhm / dein sterben Haß auffladen /
So bin ich auch nicht der / der die zu richten denckt 405
Die mir / so alß sie růhmbt / das leben hat geschenckt.
T h e o d. Diß übel ist nunmehr nicht můglich zu ertragen:
Daß man / nach so viel angst / vnß wil den tod versagen.
Was hofft die auff der Welt / die diß nicht haben kan
Was man den Feinden gibt. Jhr Menschen schawt vns an: 410
Jhr Geister hůrt vns zu. Die als das Liecht erblichen /
Die eher mitternacht die Erden hat beschlichen
Der grossen Welt gebott / als eine Gůttin pflag
Die find't sich / ehr die zeit den nun mehr nahen tag /
Die Sonnen grůssen låst / veracht / verlacht / verhůnet. 415
Verworffen / abgestůrtzt / mit ach vnd angst gekrůnet:
Die lernt wie nahe hůh' vnd fall beysammen steh /
Wie wenig zwischen Stuel vnd Kercker / zeit vergeh.
Die jederman gebott / die bittet doch vergebens
Vmb ende / nicht der Last / nur deß bestůrtzten lebens. 420
Wen schleifft die grimme schar! O Jammer! ist es der /
Der dieses Reich beherrscht. Welch' abgrund / welches Meer /
Der schmertzen / schluckt vns eyn. Was kůnnen wir erkennen
Das nicht zu schlagen sey? ist hier ein glied zu nennen
Das nicht das Schwerd zu stůckt? Wo ist sein schůnes haar? 425
Das mit besteintem gold noch erst vmbwunden war?
Wo ist die starcke Hand / die Schwerd vnd Zepter fůhrte:
Die brust die blancker stahl so wol als Purpur ziehrte?
Weh' vnß / wo ist er selbst? schawt! sein nicht-schuldig blutt
[79] Gereitzt durch vnser angst / sprůtzt eine newe flutt 430
Durch alle wunden vor! sein blutt rufft embsich rache!
Ob seine Lippe stum. Sein blutt thut ew'rer sache

403 C Was nůtzt dein Tod? T h e o d. Dein Tod soll / (leb' ich) von mir kommen.
404 C M i c h. Die Natter drewt umbsonst der Haupt und Gifft benommen!
405 C Geh hin! ich bin nicht der / der Die zu tůdten denckt:

Mordgierig vnrecht dar! Michael. reist den Tyrannen
hin?
Theod. Reist vns mit jhm! der Todt bringt euch vnd vns
gewin
Setzt Spieß vnd Sebel an! braucht flamm' vnd grimme
Waffen!
Wir wůndschen (laßt vns hier) wir wůndschen zu
entschlaffen
Auff dem erblaßten mund' auff der geliebten brust.
Mich. Reist jhr die Leichen aus. Theod. wo sind wir?
was fůr lust
Empfinden wir an jtzt? Der Fůrst ist nicht erblichen:
O frewd / er lebt! er lebt! Nun ist diß leid gewichen
Er wischt die Thrånen selbst vns ab mit linder hand!
Hier steht er! er ergrimm't vnd schůttert Schwerd vnd brand
Auff der Verråther Haupt. I. Verschw. der schmertz
hat sie bezwungen!
Sie raaßt vor hôchster angst. Theod. Mein licht! sie sind
verdrungen!
Die Môrder sind erwůrgt! Er beut vns seinen kuß:
O vnverhoffte wonn! O Seel erquickend gruß!
Wilkommen werther Fůrst! beherscher vns'rer sinnen!
Gefåhrten trawr't nicht mehr / er lebt. Mich. schafft sie
von hinnen!
Wir eylen nach der Kirch' entdeckt dem gantzen statt
Den fall der Tyranney; berufft den grossen Rath:
Ich wil daß mich an jtzt in beyseyn meiner Sôhne /
Vnd ew'rer gegenwart der Patriarch hier krône:
Nimb du die Burg in acht! sagt jhr den Låger an
Was nôtig. Zeug du eyn was Feinden zu gethan:
Ich bin / der was vnß feind / verdruck' vnd freund erhebe:
Versichert euch diß fest. Die Verschworne alle. Der
Keyser hersch' vnd lebe!

444 C es ist gelungen.
454 C Jhr; macht fest was uns noch hindern kan.

[80] Erklärung etlicher dunckelen örtter.

DEr erste Eingang. Die Abtheilung der trawr- vnd Lustspiele in gewisse stück oder Scenas / ist den Alten / Wie auß geschribenen vnnd theils gedruckten Büchern zusehen / gantz vnbekandt gewesen. Nichts weniger haben wir solche mehr dem Leser zu gefallen behalten / alß daß wir sie hoch billichten;
Pag. 2. Der traw'te Michael. Michaël Curopalates, mit dem zunamen Rangabe. Keyser Leonis Vorsaß. besiehe Cedrenum vnd Zonaram.
Pag. 3. Sein Sohn Theophilact. welchen Leo Armenius verschneiden lassen.
Pag. 3. Er leide was er that. Michaël hat Sabbatium Basilium Gregorium vnd Theodosium Leonis Söhne aus dem Hoff gestossen / vnd alle verschnitten nach der Insel Prote verschicket. Zonaras.
Pag. 33. Man kan die Schlange selbst. Von zähmen Schlangen redet weitläufftig Casaubon vber die wort Svetonij im LXXI. Capitel seines Tiberius: Erat ei in oblectamentis Serpens Draco, vnd noch heute sind dieselben den Africanern nicht frembde.
Pag. 33. Bedenckt den Traum. Der Mutter Leonis kam traumend vor; als were sie in der Kirchen der Gottes gebährerin zu Blacherne: vnd sehe in derselben eine Fraw / welche etliche Jüngling in weissen Kleidern begleiteten / auch daß der boden der Kirchen mit Blutt überschwemmet: von welchem gedachte Fraw / eine Schalen zufüllen vnd deß Keysers Mutter zu überreichen befahl / welches als sie mit entsetzen außgeschlagen: sprach gedachte durchleuchtige Fraw: Pfleget doch dein Sohn / die so mich ehren mit Blutt zufüllen / vnd verstehet nicht / daß er GOTT vnd meinen Sohn zue Zorn bewege. Zonaras.
[81] Pag. 47. Der Traum von Phocas. Den Keyser Mauritz

1 Die Seitenzahlen beziehen sich auf die in unserem Text in eckigen Klammern angegebene Paginierung des Erstdrucks von 1650.

důnckete; alß stůnde ein grosser hauffen Volcks / vmb das Bild vnsers Erloͦsers / welches vber dem eh'rnen Thor / vnd schrye wider den Keyser: auch gebe das Bild eine stimme von sich welche den Mauritz erscheinen hiesse: vnd bald auff seine vorstellung jhn fragte / ob er die begangene Vnthat gegen die Gefangenen in diesem oder kůnfftigem Leben zu bůssen begehrete: welcher sich denn mit solchen worten erklåret: In diesem leben gůttigster Herr: auch darauff eine andere stimme gehoͦret / welche befohlen / Jhn mit seinem gantzen Geschlecht dem Phocas zu ůberliefern. Cedrenus in Maurit. Zonaras in Maurit. Theophylactus Simo catta in dem Leben Mauritij vnd andere.

Pag. 54. Nackte Lehrer. Sonsten Gymnosophista. von welchen Plinius in dem 2. Capitel deß 7. Buchs / Cicero in dem 5. Buche seiner Tusculanischen fragen: Philostrat. in seinem Werck hin vnd wider. Augustinus in dem 15. Buch von der Statt Gottes / vnd viel andere.

Pag. 54. Dem Man in der Juden Land. Von der Juden verbotenen Opffern / haben vnterschiedene weitlåufftig geschrieben / Ich wil zu besserem nachricht nur einen orth auß dem Buch Ialkut hieher setzen: durch welchen die wort deß 7. Capitels Jeremiae erklåret werden; Molech war ein Bild dessen Angesicht als eines Kalbes / die Hånde aber außgestrecket als eines Menschen / der die Hånde oͦffnet vmb etwas zu empfahen / Inwendig außgehoͦlet. Diesem sind sieben Capellen auffgerichtet gewesen: Vor welche gedachtes Bild gesetzet wurd: Wer einen Vogel oder junge Tauben opfferte: ging in die erste Capelle / wer ein Lamb oder Schaff: in die andere. Wer einen Widder: in die dritte. Wer ein Kalb: in die vierdte / wer einen jungen Ochsen / in die fůnffte. Wer einen Ochsen: in die sechste. wer letzlich seinen eignen Sohn opfferte: nahm die siebende ein: dieser kůssete den Molech wie dort stehet.

[82] להם הם אמרים זבחי אדם עגלים ישקון

Hoseae 13. Der Sohn wurde vor den Molech gesetzet. Molech aber von vnten mit vntergelegtem Fewer erhitzet /

biß er so glůend wurdt / alß ein Liecht / denn namen die
Priester das Kindt vnd legeten es in die glůenden Hånde des
Molech / vnd damit die Eltern das winseln vnd heulen des
Kindes nicht hőreten: schlugen sie auff der Drummel: dan-
nenher ist dieser ort genennet תפת nemlich von תפים welches
drummeln heiset: der Thal aber הנם weil die stimme des Kna-
bens נהם oder brůllend war / oder auch weil die dabey ste-
hende Pfaffen zu sagen pflegten יהנה לך Es wűrd dir nűtzlich
seyn. Was ferner vor zeiten durch solche Opffer gesuchet /
wie auch was von derogleichen erscheinungen vnd weissagungen zu halten / haben sich viel zuerklåren bemůhet. Vnsere meynung fůhren wir weitlåufftiger aus in vnsern bedencken von den Geistern: welche wir mit ehestem / da GOTT
wil / hervor zu geben gesonnen.
Pag. 56. Dir wird was Leo trågt. Alß Theophilus (Michaëlis
Sohn) zu dem Regiment kommen / hat er nichts mehr jhm
angelegen seyn lassen / alß diese / welche seinem Vater zu
dem Keyserthumb behůlfflich gewesen / vnd den Leo erwűr-
get / an dem leben zu straffen: Vnd damit keiner aus denselben verholen bliebe / hat er in dem gantzen / in den Hoffe
zusammen beruffenen Rath vorgegeben / daß Er seines Vatern befehl zu vollziehen gesonnen. Demnach dem selbiger
die / die jhm zu erlangung der Herrschafft gedienet / nach
wűrden zu belohnen begehret; håtte jhm der mangel der
zeit / seinen Vorsatz auß zu fűhren in dem wege gestanden /
weil jhn zu erst der Krieg: denn Kranckheit vnd endlich der
Todt verhindert. Derowegen Er jhm befohlen / solche schuld
willig vnd freygebig abzuzahlen. Deßhalben ermahnete Er
dieselben welche seinem Vater in hinwegreumung deß Leo-
[83]nis beygestanden / daß sie sich von den andern abson-
dern solten. Sie! welche diese list nicht begriffen / tratten
auff eine seitten / vnd meldeten offentlich sie weren diese /
Die seinem Vater geholffen. Er aber legete bald die Larve
seines verstellens hinweg vnd sprach: Warumb habt jhr hand

80 f. zu *bedencken von den Geistern:* die von Gryphius hier verheißene Schrift »De spectris« ist nie erschienen oder verloren.

an den Gesalbten deß HERRN geleget? vnd seid nicht nur zu Todschlägern sondern auch zu Vatermördern an ewrem Keyser worden: Wandte sich auch bald zu dem Oberhauptman / vnd befahl sie hinzuführen / vnd nach verdienst abzustraffen. Zonaras in dem III. Theil in der Regierung Theophili.

Pag. 66. In dem wurd vnser Kleyd. Michael hat Theodosiam in ein Kloster verstossen.

Pag. 68. Der Fürst hub selber an. Von diesem deß Keysers singen / reden Zonaras vnd Cedrenus zimblich hönisch: der anfang deß Lieds mit welchem der Tumult sich erhaben / sol dieser gewesen seyn.

ΤΩ ΠΑΝΤΑΝΑΚΤΟΣ ΔΙΕΦΑΥΛΙΣΑΝ ΠΟΘΩ.

Sie haben alle pracht
Der grossen Welt veracht.
Auß liebe / nur dem höchsten zu gefallen.

ENDE.

115 Cedrenus und Zonaras schreiben statt ΔΙΕΦΑΥΛΙΣΑΝ ἐξεφαύλισαν.

ZUR TEXTGESTALT

Der Text der vorliegenden Ausgabe beruht auf dem Erstdruck des Dramas aus dem Jahre 1650 (= A). Er erschien mit anderen Werken des Dichters unter dem Titel:

> Andreas Griphen | Teutsche Reim-Gedichte | Darein enthalten | I. Ein Fuͤrsten-Moͤrderisches | Trawer-Spiel / | genant. | Leo Armenius. | II. Zwey Buͤcher seiner | ODEN | III. Drey Buͤcher der SONNETEN | Denen zum Schluß die Geistvolle Opi- | tianische Gedancken von der Ewigkeit | hinbey gesetzet seyn. | Alles auff die jetzt uͤb- vnd loͤbliche Teutsche | Reim-Art verfasset. | Jn Franckfurt am Mayn | bey | Johann Huͤttnern / Buchfuͤhrern. | Jm Jahr. 1650.

Exemplar der Niedersächsischen Landesbibliothek Hannover, Sign. Lh 2139. Format: 8°, 9,5×15,5 cm.

Gliederung von Leo Armenius:

- [i^{r}] : Titelblatt
- [i^{v}] : Widmung
- ij^{r}–iij^{v}: Vorrede an den Leser.
- [iiij^{r}] : Inhalt deß Trawerspiels.
- [iiij^{v}] : Personen deß Trawerspiels.
- 1–79: LEO ARMENIVS | Trawrspiel /
- 80–83: Erklaͤrung etlicher danckelen oͤrtter.
- [84] : Fehler so in dem Druck uͤbersehen.

Der Satzspiegel ist wohl mit Kolumnentitel, Signatur und Kustode, nicht aber mit einem Verszähler versehen. Die Signaturen sind allerdings lückenhaft und fehlen im Originaltext auf den Seiten 11, 13, 15, 27, 29, 31, 43, 45, 47, 59, 61, 63, 75, 77, 79, 83.

Ohne textkritisches Interesse ist die Ausgabe von 1652. In den Jahren 1657 und 1663 erschienen weitere Ausgaben (1657 = B), (1663 = C) mit textlichen Abweichungen gegenüber A. Als Fußnoten werden nur die Lesarten von B und

C verzeichnet, die den Ausdruck verstärken und das semantische Spektrum erweitern, so daß sie für die Interpretation unerläßlich sind oder bereits in der Forschung diskutiert wurden, nicht aber alle orthographischen oder inhaltlich unbedeutenden Varianten.
Die folgende Liste enthält alle vom Herausgeber am Text vorgenommenen Änderungen. Dabei sind die Übernahmen von Gryphius aus dem Verzeichnis der »Fehler so in dem Druck ůbersehen« durch den Zusatz (Dr.) gekennzeichnet. Auf eine Normalisierung wurde verzichtet. Die hebräischen Zitate weisen im Originaltext zwar keine Fehler, aber stark defekte Lettern auf, die eine eindeutige Identifizierung nur im Vergleich mit einem anderen Text ermöglichen. Sie wurden in unserer Edition gebessert.

Widmung

Hereditatio > Hereditario

Inhalt deß Trawerspiels

20 molle > wolle – 28 entdet > endtet – 30 Schamplatz > Schawplatz

Die Erste Abhandelung

1 jr > jhr – 11 ensetzet > entsetzet – 174 Exabol. > 175 Exabol. (Dr.) – 179 wem > wen, dem > den (Dr.) – 206 erster > ernster – 280 den wurde nicht korrigiert wegen der ausdrücklichen Anweisung für Zeile 179 im Verzeichnis »Fehler so in dem Druck ůbersehen«. – 293 anbrigen > anbringen – 388 dz > das – 421 Leinwad wurde nicht korrigiert, da diese Form frühnhdt. leinwat, leinwad aus mhd. lîn-uuat bis ins 17. Jh. gebräuchlich war (vgl. Grimm, Deutsches Wörterbuch V, Sp. 709). – 436 Ratht > Rath – 496 rey > frey (Dr.) – 520 Was durch die zeit verfiel was in der blůtte steht > Was in der blůtte steht was durch die zeit verfiel.

Die Andere Abhandelung

17 verkleinerte. die schlacht > verkleinerte die schlacht – 18 Palm'n > Palm' (Dr.) – 102 deine > deinen – 235 ensetzung > entsetzung – 248 dem > denn – 279 e sen > eisen – 285 er > uns – 307 Dem > Denn – 320 vnsere > vnsre – 424 wen > wenn – 446 dz > das – 449 wz > was – 465 dz > das – 491 hingeben > gegeben (Dr.) – 494 beflectes > beflecktes – 495 Muter > Mutter – 499 Stoß't > Sto̊ß't – 526 rhat > rath – 529 leichen > leichten – 562 ein > in – 644 geschen > geschehn. –

Die dritte Abhandlung (im Druck so verzeichnet, nicht wie zu erwarten wäre: Die Dritte Abhandelung)

35 schimmerend > schimmernd – 94 endeckt > entdeckt – 116 Vns die > Vns in die – 134 d'tod > der tod – 219 wird > wir – 259 wir das schwerd so > wir so das schwerd – 337 ein Fůrfte > ein Fůrste – 355 M i c h wer > M i c h. wer?

Die Vierdte Abhandelung

36 Mitt > Mit – 44 gesticket > gestricket (Dr.) – 93 verborgenen > verborgnen – 155 erklårt > erklåret (Dr.) – 156 beschert > bescheret – 257 wen > wenn – 281 ůbersållt > ůberfållt – 322/323 Lied. Anstimmen > Lied Anstimmen – 348 munde > munde.

Die Fůnffte Abhandlung (nicht wie zu erwarten wäre: Abhandelung)

4 den > denn – 11 daucht' > dåucht' – 125 bo̊sen > blossen (Dr.) – 131 Schlag > Schlug (Dr.) – 262 auch > euch – 384 gåste. > gåste – 413 grosser > grossen – 432 sein > seine – 452 krone: > kro̊ne: – 457 lebe: > lebe!

Erklårung etlicher dunckelen o̊rtter

6 zugefallen > zu gefallen – 49 andere: > andere.

Die Ligaturen wurden aufgelöst, ebenso folgende Abbreviaturen: ā > an, ē > en, m̄ > mm, n̄ > nn, vn̄ > vnd; I und J wurden unterschieden, ꝛ ist durch r ersetzt. Unterschiede in der Schrifttype des Originaltextes konnten nicht beibehalten werden. Die Seitenzählung des Originals wurde in [ ] angegeben. Der Kolumnentitel des Originals (links: Leo Armenius, rechts: TrawrSpiel) ist durch Aktangaben ersetzt worden.

BEILAGE

Georgius Cedrenus

Gryphius nennt den byzantinischen Historiker Georgius Cedrenus selbst mehrfach als Quelle. In seiner Dissertation *Andreas Gryphius und das Drama der Jesuiten* leitet Willi Harring das 3. Kapitel »Des Andreas Gryphius und Joseph Simon ›Leo Armenius‹« – eine Zusammenfassung aus dem *Compendium Historiarum* des Cedrenus – etwas irreführend ein mit den Worten: »Dieser [nämlich Cedrenus] nun erzählt die Geschichte des Kaisers Leo folgendermaßen (tomus alter, S. 43,10–69,3): . . .«
Diese Formulierung führte zu der in der Sekundärliteratur verbreiteten Meinung, es handle sich um eine Übersetzung. So schreibt z. B. noch Gerhard Kaiser in *Die Dramen des Andreas Gryphius*, Stuttgart 1968, S. 8, Anmerkung 14: »Bei Harring . . . ist der entsprechende Abschnitt des Georgius Cedrenus in Übersetzung abgedruckt«. Die Angaben Harrings beziehen sich auf die Ausgabe Immanuel Bekkers (CSHB 1838/39) Band II. Sie enthält den griechischen Urtext und eine lateinische Übersetzung. Harring gibt zuerst eine stark raffende deutsche Zusammenfassung des Bekkerschen Textes von Seite 43,10 bis Seite 61,3. Seite 61 bis Seite 68 folgt eine grosso modo wörtliche Übersetzung, allerdings unter Weglassung mancher Einzelheit, besonders auffällig werden die Lücken Seite 67 und 68 bei der Schilderung des Todes von Leo Armenius. Es fehlt zum Beispiel die bei Cedrenus angegebene Todeszeit. Die von Harring auch noch genannte Seite 69 wurde gar nicht berücksichtigt. Der Auswahlübersetzung Harrings kommt aber zweifellos die Qualität zu, sich auf die für das Verständnis des Gryphiustextes wichtigsten Stellen konzentriert und diese zuverlässig übersetzt zu haben, weshalb der folgende Text Harrings auch für den, der an den Quellen selbst interessiert ist, eine Hilfe darstellen kann:

Der Kaiser Michael Rhangabe hatte Unglück im Kampf mit den Bulgaren, das Heer fiel von ihm ab und rief auf Betreiben des Michael Balbus, eines Unterfeldherrn, den General Leo den Armenier zum Kaiser aus.
Leo verbannte Michael Rhangabe mit den Seinen und belohnte seinen Freund Michael Balbus, indem er ihn zum Patrizier und zum Befehlshaber der kaiserlichen Leibwache machte. Ihm schlug der Kampf gegen die Bulgaren, die sich, stolz über ihren jüngst errungenen Sieg, von neuem gegen die Römer erhoben, glücklicher aus als seinem Vorgänger. Er besiegte sie und kehrte im Triumph in die Heimat zurück. Jetzt erinnerte er sich an den Mönch zu Philomelium, der vorher verkündet hatte, daß Leo einst Kaiser sein werde. Er wollte diese Weissagung durch Geschenke belohnen und sandte daher einen seiner Getreuen mit vielen wertvollen Gaben ab. Aber jener Mönch war schon gestorben, und es war ihm ein gewisser Sabbatius gefolgt, ein Anhänger der Bilderzerstörer. Dieser wies die Geschenke zurück, weil der Kaiser dem Bilderkult ergeben sei und den Vorschriften der Kaiserin Irene und des Patriarchen Tarasius gehorche. Diese beiden beschimpfend, bedrohte er den Kaiser mit einem schnellen Ende seiner Herrschaft und seines Lebens, wenn er nicht sofort die heiligen Bilder entferne. Darüber in Schrecken gesetzt, überlegte der Kaiser mit dem Melissener Theodot, was er tun solle. Der aber war auch ein Anhänger jener Ketzerpartei und benutzte die günstige Gelegenheit, den Kaiser für sich zu gewinnen. Er riet ihm, einen dagistensischen Mönch, der wegen seiner staunenswerten Weissagungen berühmt war, um Rat zu fragen. Sofort nach dieser Unterredung aber begab er sich zu dem Mönch und kündigte ihm an, daß der Kaiser in der folgenden Nacht in einfacher Kleidung zu ihm kommen werde, um ihn um Rat zu fragen. Dann solle er ihm den nahen Verlust der Herrschaft und des Lebens ankündigen, wenn er nicht die heiligen Bilder zerstöre; setze er dies aber ins Werk, dann werde seine Herrschaft und sein Leben ewig dauern. Als Theodot den Mönch

so vorbereitet hatte, führte er den Kaiser in der nächsten Nacht zu ihm, und der Kaiser, der es für eine ganz wunderbare Kraft des Mönches hielt, daß er ihn trotz seiner Verkleidung sofort erkannte, wurde durch das, was ihm jener zu tun anbefahl, aufs tiefste erschüttert und beeilte sich, seinen Wunsch zu erfüllen. Der Befehl, die Bilder zu zerstören, rief bei den Edlen und Kirchenfürsten große Erregung hervor, der Patriarch Nicephorus ließ sich nicht dazu bestimmen, das Edikt des Kaisers zu unterschreiben und wurde abgesetzt. Theodot erhielt seine Stelle und wirkte nun für seine Ketzerlehre nicht mehr im Stillen, sondern öffentlich und mit lauter Stimme.

Leo aber war durch seinen Sieg über die Bulgaren und durch einen glücklichen Schlag gegen die Araber zügellos geworden. Er wurde hart und zur Grausamkeit geneigt, war im Zorn unversöhnlich und bestrafte Verbrechen auf das strengste. Für kleine Vergehen legte er die schwersten Strafen auf, einigen ließ er die Hände, anderen die Beine, wieder anderen andere Glieder abschlagen und sie auf der Straße zur Schau stellen, um andere abzuschrecken. Dadurch wurde er sehr verhaßt. Und nicht nur gegen Menschen wütete er, sondern auch gegen die Religion und gegen Gott. Für das Wohl des Staates aber sorgte er aufs beste; auch übte er gegen Frevler eine gerechte Strenge.

Michael Balbus, ein Mann, der zwar nicht wie die anderen von Lastern entstellt war, der aber seine Zunge nicht im Zaum halten konnte, hatte den Kaiser beschimpft, indem er ihm den Verlust der Herrschaft androhte und seine Ehe mit Theodosia für unerlaubt erklärte. Er war schon einmal wegen eines Majestätsverbrechens angeklagt gewesen, hatte es aber verstanden, sich reinzuwaschen. Als dies nun dem Kaiser zu Ohren kam, versuchte er anfangs Michael von seiner Gesinnung abzubringen; als das aber keinen Erfolg hatte, ließ er ihn durch Aushorcher beobachten. Am meisten gewann sich das Vertrauen des Balbus der kluge Exabulios. Dieser ermahnte ihn oft, sich nicht durch seinen zügellosen

Mund in Gefahr zu stürzen. Als das aber nichts nützte, offenbarte er dem Kaiser seine Pläne. Und so fand am Tage vor der Geburt Christi die Gerichtsverhandlung statt. Michael wurde angeklagt, nach der Herrschaft zu streben. Er mußte wegen der erdrückenden Beweise seine Schuld einräumen, und so wurde er zum Tode durch das Feuer verurteilt.

Als er eben gefesselt zum Tode abgeführt werden soll, eilt Theodosia, des Kaisers Gemahlin, aus ihren Gemächern herbei παράβακχόν τι καὶ μανικὸν κινουμένη und nennt Leo einen Gottesfrevler, da er nicht einmal den heiligen Tag der Geburt Christi ehre. Leo erschrickt darüber, daß er Gott beleidige und schiebt die Hinrichtung auf; Michael soll in Ketten gefangen gehalten werden. Die Wache vertraut er dem obersten Palasthüter (παπίας) an. Alle Schuld aber schiebt er auf seine Gemahlin, falls die Sache nicht gut abläuft.

Und zu Befürchtungen hatte er Anlaß genug. Denn in Orakeln und Visionen waren ihm Weissagungen seines Todes geworden. So soll er ein Orakel erhalten haben, nach dem er am Geburtstage Christi Herrschaft und Leben verlieren würde. Es war dies ein sibyllinisches Orakel, das sich in einem Buche der kaiserlichen Bibliothek fand; in diesem Buche waren auch Figuren mit den Zügen der Kaiser abgemalt. Hier nun fand sich das Bild des Löwen, auf dem vom Rücken bis zum Bauche der Buchstabe X geschrieben stand, und vom Rücken her durchbohrte ein Mann den Löwen mit der Lanze gerade durch diesen Buchstaben hindurch. Man befragte einen Ausleger, und dieser sagte, Leo werde einst Kaiser sein, aber am Geburtstage Christi durch einen schmählichen Tod zugrunde gehen. – Nicht weniger wurde Leo durch eine Vision erschreckt, die seine Mutter hatte. Sie schien sich im Schlafe selbst zu erblicken, wie sie, in den heiligen Tempel der Gottesmutter zu Blacherne gehend, einer Jungfrau begegnete, der viele weißgekleidete Jünglinge folgten. Den Tempel sah sie mit Blut gefüllt. Einem von diesen Weißgekleideten befahl das Mädchen, einen Becher mit Blut zu füllen und der Mutter Leos zu trinken zu geben. Sie aber wies ihn schaudernd zurück. Da sagte die Jungfrau erzürnt: »warum hört dein Sohn nicht auf, sich mit Blut zu beflecken und dadurch mich und meinen Sohn zu erzürnen?« Und seit dieser Zeit hatte die Mutter immer an die Vision denken müssen und war nicht müde geworden den Sohn zu bitten, daß er von der Ketzerei der Bilderzerstörung ablasse.

Noch eine dritte Weissagung erschreckte Leos Gemüt. Denn als er schlief, erblickte er den Geist des Tarasius, der schon längst das Leben mit dem Tode vertauscht hatte, wie er einen Michael ermahnte und antrieb, den Kaiser anzugreifen und mit tödlichem Wurf zu Boden zu strecken.

Dann kam noch die Weissagung des Mönches zu Philomelium hinzu, der zwar verkündet hatte, »Leo und Thomas würden Kaiser sein«, jedoch hinzugefügt hatte, »beide aber würden von Michael getötet werden«. – Und endlich erinnerte sich Leo an den Vorfall, der sich ereignet hatte, als er eben zur Herrschaft gekommen war. Er hatte damals Gott ein Gebet darbringen wollen zum Dank für den glücklichen Regierungsantritt und übergab sein Obergewand dem Präfekten Michael Balbus. Der aber warf es sofort über. Alle, die das sahen, hielten es für ein Zeichen, daß nach Leo Michael die Herrschaft führen werde. Und als Leo mit einem anderen Gewand bekleidet sich in den Tempel begab, trat Michael in unvorsichtiger Weise auf den Saum des kaiserlichen Gewandes. Auch das hielt Leo für ein ungünstiges Zeichen.

Durch den Gedanken an all diese Dinge erschreckt, fand der Kaiser in der Nacht, die auf die Verurteilung Michaels folgte, keinen Schlaf. Er erhob sich vom Lager, um nachzusehen, ob der Gefangene gut bewacht würde. Als er aber das Haus des obersten Palasthüters betrat, erschrak er heftig. Er sah nämlich den Verurteilten auf einem hohen, prächtigen Polster ruhen, während der oberste Palasthüter auf dem nackten Fußboden schlief. Noch mehr überraschte es den Kaiser, daß Michael nicht, wie es sonst Leuten geht, die in Angst und Lebensgefahr sind, einen unruhigen Schlaf hatte, sondern daß er im Gegenteil tief und ruhig schlief, so daß er ihn nicht einmal durch Berühren aufwecken konnte. Voller Zorn beschloß er den Tod nicht nur Michaels, sondern auch seines ungetreuen Wächters, der den Verurteilten wie den Kaiser ehrte. Aber diesem blieb der Vorfall nicht verborgen, weil einer von den Wächtern den Kaiser an den roten Schuhen erkannt hatte. Daher beschloß er, außer sich vor Furcht, mit den Seinen zu fliehen. Es dämmerte schon der Tag herauf, als Michael folgenden Rettungsplan faßte: einer seiner Anhänger mußte den Kaiser bitten, daß er für Michael einen Geistlichen holen könne, damit er seine Sünden beichte. Auf des Kaisers Einwilligung hin ging Theoctist aus der Burg mit dem geheimen Auftrage Michaels an seine Mitverschworenen, wenn sie ihn nicht sofort aus seiner mißlichen Lage befreiten, werde er dem Kaiser die ganze Verschwörung hinterbringen. Die Verschworenen faßten einen Plan, der sie selbst rettete und Michael das Leben und die Herrschaft schenkte. Sie mischten sich, Dolche unter den Gewändern bergend, unter die Priester, die des Morgens in den Tempel gingen, und gingen mit ihnen hinein. Als die Hymne verklungen war, erschien der Kaiser und intonierte nach seiner Gewohnheit mit gewaltiger Stimme das Lied: »τῷ παντάνακτος ἐξεφαύλισαν πόθῳ«. Da drangen die Verschworenen auf ihn ein. Zuerst trafen sie aus Versehen den ἔξαρχος κλήρου, weil er dem Kaiser ähnlich war oder weil er sein Haupt mit einem ähnlichen Gewande verhüllt hatte. Der Kaiser verbarg sich in einer Ecke des Altars, riß eine Kette der Räucherpfanne, oder wie andere melden, das heilige Kreuz herab und versuchte vergebens sich damit zu verteidigen. Er empfing den Stoß der Mörder.

Als Leo sich noch wehrte, erhob er die Hand, um die Andrängenden zu beschwören ihn zu schonen. Unter ihnen be-

fand sich einer aus dem Geschlecht der Kramboniter; der schlug ihm die Hand ab mit den Worten: »Nicht zum Schwören, sondern zum Morden ist jetzt der Augenblick.« Endlich erlag der Kaiser den Wunden.
So starb Leo, der mehr als seine Vorgänger grausam und gottlos gewesen war, der aber auch seine Sorgfalt in der Verwaltung des Staates und seine Tapferkeit im Kriege bewährt hatte. Die Mörder schleppten die Leiche Leos auf Tierhäuten in den Circus. Auch die Kaiserin vertrieben sie aus dem Palast mit ihren vier Söhnen Sabatius, Basilius, Gregorius und Theodosius. Sie wurden nach der Insel Prote verbannt und entmannt. Michael aber wurde aus der Haft befreit und setzte sich mit den Fesseln an den Füßen auf das kaiserliche Ruhelager. Er wurde von allen als Kaiser begrüßt.

LITERATURHINWEISE

Neudrucke

Andreas Gryphius: *Trauerspiele*, hrsg. von Hermann Palm, Bibliothek des Literarischen Vereins in Stuttgart Bd. 162, Tübingen 1882 (Photomechanischer Nachdruck, Wissenschaftliche Buchgesellschaft, Darmstadt 1961).

Andreas Gryphius: *Zwei Trauerspiele (Cardenio und Celinde, Leo Armenius)*, hrsg. von Erik Lunding, Kopenhagen 1938 (= Deutsche Texte 1).

Andreas Gryphius: *Leo Armenius. Trawrspiel*, in: Die deutsche Literatur, Texte und Zeugnisse Bd. III, Barock, hrsg. von Albrecht Schöne, München 1963, S. 468–536.

Andreas Gryphius: *Trauerspiele II (Leo Armenius, Cardenio und Celinde)*, hrsg. von Hugh Powell, Tübingen 1965 (= Gesamtausgabe der deutschsprachigen Werke, hrsg. von Marian Szyrocki und Hugh Powell. Neudrucke deutscher Literaturwerke N. F. 14).

Allgemeine Literatur zu Gryphius' Dichtung (Auswahl)

Benjamin, Walter: *Ursprung des deutschen Trauerspiels*, Berlin 1928. Revidierte Ausgabe besorgt von Rolf Tiedemann, Frankfurt 1963.

Böckmann, Paul: *Offenbarungshaltung und Elegantiaideal in der Dichtung des Gryphius*, in: P. Böckmann, Formgeschichte der deutschen Dichtung, Bd. 1, Hamburg 1949, S. 416–448.

Eggers, Werner: *Wirklichkeit und Wahrheit im Trauerspiel von Andreas Gryphius*, Heidelberg 1967.

Flemming, Willi: *Andreas Gryphius und die Bühne*, Halle 1921.

Flemming, Willi: *Die Form der Reyen in Gryphs Trauerspielen*, in: Euphorion 25 (1924), S. 662–665.

Flemming, Willi: *Andreas Gryphius. Eine Monographie*, Stuttgart 1965.

Heckmann, Herbert: *Elemente des barocken Trauerspiels. Am Beispiel des Papinian von Andreas Gryphius*, Darmstadt (später: München) 1959.

Hildebrandt, Heinrich: *Die Staatsauffassung der schlesischen Barockdramatiker im Rahmen ihrer Zeit*, Diss. Rostock 1939.

Jöns, Dietrich Walter: *Das Sinnenbild. Studien zur allegorischen Bildlichkeit bei Andreas Gryphius*, Stuttgart 1966 (= Germanistische Abhandlungen 13).

Kaiser, Gerhard: *Die Dramen des Andreas Gryphius.* Eine Sammlung von Einzelinterpretationen, hrsg. von G. Kaiser, Stuttgart 1968.

Lunding, Erik: *Das schlesische Kunstdrama. Eine Darstellung und Deutung*, Kopenhagen 1940.

Mannack, Eberhard: *Andreas Gryphius*, Stuttgart 1968.

Powell, Hugh: *Probleme der Gryphiusforschung*, in: Germanisch-romanische Monatsschrift 7 (1957), S. 328–343.

Rühle, Günther: *Die Träume und Geistererscheinungen in den Trauerspielen des Andreas Gryphius und ihre Bedeutung für das Problem der Freiheit*, Phil. Diss. [Masch.] Frankfurt 1952.

Rusterholz, Peter: *Theatrum vitae humanae. Funktion und Bedeutungswandel eines poetischen Bildes. Studien zu den Dichtungen von Andreas Gryphius, Christian Hofmann von Hofmannswaldau und Daniel Casper von Lohenstein*, Berlin 1970 (= Philologische Studien und Quellen H. 51).

Schings, Hans-Jürgen: *Die patristische und stoische Tradition bei Andreas Gryphius*, Köln und Graz 1966.

Schöne, Albrecht: *Postfigurale Gestaltung. Andreas Gryphius*, in: A. Schöne, Säkularisation als sprachbildende Kraft, Göttingen 1958, [2]1968 (= Palaestra 226).

Schöne, Albrecht: *Emblematik und Drama im Zeitalter des Barock*, München 1964.

Steinberg, Hans: *Die Reyen in den Trauerspielen des Andreas Gryphius*, Phil. Diss. Göttingen 1914.

Szyrocki, Marian: *Der junge Gryphius*, Berlin 1959 (= Neue Beiträge zur Literaturwissenschaft 19).
Szyrocki, Marian: *Andreas Gryphius. Sein Leben und Werk*, Tübingen 1964.
Tarot, Rolf: *Literatur zum deutschen Drama und Theater des 16. und 17. Jahrhunderts. Ein Forschungsbericht (1945 bis 1962)*, in: Euphorion 57 (1963), S. 411–453.
Vosskamp, Wilhelm: *Zeit- und Geschichtsauffassung im 17. Jahrhundert bei Gryphius und Lohenstein*, Bonn 1967.
Wehrli, Max: *Andreas Gryphius und die Dichtung der Jesuiten*, in: Stimmen der Zeit 175 (1964), S. 25–39.
Windfuhr, Manfred: *Die barocke Bildlichkeit und ihre Kritiker*, Stuttgart 1966 (=Germanistische Abhandlungen 15).
Wolters, Peter: *Die szenische Form der Trauerspiele des Andreas Gryphius*, Phil. Diss. Frankfurt 1958.

Literatur zu *Leo Armenius*

Barner, Wilfried: *Gryphius und die Macht der Rede. Zum ersten Reyen des Trauerspiels ›Leo Armenius‹*. Deutsche Vierteljahrsschrift für Literaturwissenschaft und Geistesgeschichte 42 (1968), S. 325–358.
Duruman, Safinaz: *Zum Leo Armenius des Andreas Gryphius*, in: Alman dil ve edebiyati dergesi (= Studien zur deutschen Sprache und Literatur), hrsg. von der Abteilung für deutsche Philologie an der Universität Istanbul, Bd. 2, 1955, S. 103–122.
Eggers, Werner: *Die Ermordung des Leo Armenius bei Cedrenus und bei Gryphius. Exkurs I*, in: Wirklichkeit und Wahrheit im Trauerspiel von Andreas Gryphius, Heidelberg 1967, S. 158 f.
Harring, Willi: *Andreas Gryphius und das Drama der Jesuiten*, Halle 1907 (= Hermaea V), mit einer Übersetzung des historischen Quellentextes des Cedrenus (S. 53–58) und dem Text des Dramas ›Leo Armenus‹ des Joseph Simon im Anhang I, S. 74–126.

Heisenberg, August: *Die byzantinischen Quellen von Gryphius' Leo Armenius*, in: Zeitschrift für vergleichende Literaturgeschichte NF 8 (1895), S. 439 ff.

Kaiser, Gerhard: *Leo Armenius oder Fürsten-Mord*, in: Die Dramen des Andreas Gryphius. Eine Sammlung von Einzelinterpretationen, hrsg. von G. Kaiser, Stuttgart 1968, S. 3–34.

Mawick, Walter: *Der anthropologische und soziologische Gehalt in Gryphius' Staatstragödie ›Leo Armenius‹*, Phil. Diss. Münster. Gütersloh 1935.

Plard, Henri: *De heiligheid van de Koninklijke Macht in de Tragedie van Andreas Gryphius*, in: Tijdschrift van de Vrije Universiteit van Brussel, 2. Jg. 1960, S. 202–229.

Runzler, Wilhelm Theodor: *Die ersten Dramen des Andreas Gryphius*, Phil. Diss. Erlangen 1929. Erster Teil: Das Drama Leo Armenius, S. 1–35.

Schlegel, Johann Elias: *Vergleichung Shakespeares und Andreas Gryphs*. Faksimiledruck. Hrsg. von Hugh Powell, Leicester 1964.

Szondi, Peter: *Leo Armenius*, in: P. Szondi, Versuch über das Tragische, Frankfurt 1961, S. 80–84.

Tisch, J. Herrmann: *Andreas Gryphius: Leo Armenius*, Hobart: The University of Tasmania 1968.

NACHWORT

»Kan wer / der sterblich ist
wol sein gericht begreiffen?«
Leo Armenius V, 211

Andreas Gryphius ist am 2. Oktober 1616 in Glogau »in der Nacht« – »doch nicht der Nacht«[1] geboren worden. Mit den zitierten Worten sind seine Wertung des Diesseits und der jenseitige Fluchtpunkt seines Lebens bezeichnet. Gryphius veröffentlichte ein Sonett »Der Autor ůber seinen Geburts-Tag den 29. September des MDCXVI Jahres«. Er gibt hier nicht das historisch richtige, sondern das allegorisch bedeutsame Datum an, den Tag des Erzengels Michael, sich damit der Hilfe der Engel versichernd in dem Kampf des Lebens, wo nach seinen eigenen Worten »der Himmel und der Hŏllen Schar nun in dem Schauplatz ringen«[2]. Dieser Bezug zwischen Geschichte und Heilsgeschichte ist wesentlich auch für das Verständnis der Wahrheit seiner Dichtung[3].

Nach einer an inneren und äußeren Nöten reichen Jugendzeit[4] studierte Gryphius von 1638 bis 1643 in Leyden, unter anderem bei dem berühmten Dichter und Poetiker Daniel Heinsius, dem Verfasser des *De tragoedia constitutione liber.* Lugd. Bat. 1643, bei Marcus Boxhornius[5], Professor der Rhetorik und der Geschichte, einem Vertreter des Naturrechts, der die ursprüngliche Souveränität nicht

1. Siehe Andreas Gryphius, *Gesamtausgabe der deutschsprachigen Werke*, hrsg. von Marian Szyrocki und Hugh Powell (fortan zitiert als *GA*), Bd. II, Epigramme 1, S. 180.
2. Siehe *GA*, II, Oden 3. Buch, S. 67 ff.
3. Vgl. dazu Peter Rusterholz: *Die Trauerspiele der Zeit und das Lustspiel der Ewigkeit. Andreas Gryphius*, in: Theatrum vitae humanae. (Philologische Studien und Quellen, H. 51) Berlin 1970, besonders S. 59–68 und S. 77–90.
4. Vgl. dazu Marian Szyrocki, *Der junge Gryphius* (Neue Beiträge zur Literaturwissenschaft Bd. 9), Berlin 1959.
5. Marcus Zuerius Boxhorn (1602–53), Verfasser der *Emblemata politica et Dissertationes politicae*, Amsterdam 1653, siehe Jöchers Gelehrtenlexikon Bd. I, Spalte 1314.

dem Herrscher, sondern dem Volke zuerkannte und dessen Widerstands- und Revolutionsrecht befürwortete, sowie bei dessen Widerpart, Claudius Salmasius[6], dem Anhänger eines theokratisch begründeten Absolutismus.

1644 unternahm Gryphius mit Wilhelm Schlegel eine Reise nach Frankreich und Italien. In Rom wohnten die Freunde vermutlich der Aufführung eines Jesuitendramas von Joseph Simon *Leo Armenus seu Impietas punita* bei[7]. Nach der Rückkehr aus Italien weilte Gryphius längere Zeit in Straßburg. Hier entstand das Manuskript seines *Leo Armenius*, hier fand er Partner bei der Diskussion von Problemen, die ihn schon während seiner Studienzeit beschäftigt hatten und nun bei der Arbeit am *Leo Armenius* von neuem interessieren mußten. *Leo Armenius oder Fůrsten-Mord* ist ja ein Spiel, das alle Fragen um die Relationen zwischen irdischer und göttlicher Gerechtigkeit impliziert. Diese Probleme bearbeiteten auch die Straßburger Freunde des Gryphius, der Jurist Gregor Biccius etwa oder der Historiker und Lehrer des Staatsrechts Johann Heinrich Boecler[8], der als entschiedener Anhänger des Absolutismus gegen die Souveräni-

6. Claudius Salmasius (1588–1653) wurde berühmt durch seine staatsrechtlichen Auseinandersetzungen mit John Milton wegen des Mordes an Karl I. von England, der ja auch Gryphius, wie sein Drama *Carolus Stuardus* zeigt, erregte. – Werke des Salmasius: – *Defensio regia pro Carolo I ad serenissimum magnae Britanniae regem Carolum II . . .*, Leyden 1649. – *Responsio ad Joh. Miltonii Opus posthumum*, London 1660. – *Responsio ad Miltonii defensionem*, London 1660.

7. Vgl. dazu Willi Harring, *Andreas Gryphius und das Drama der Jesuiten*, Halle 1907. Seite 74–176 findet sich ein Druck des *Leo Armenus* Simons. – Zu Gryphius' Verhältnis zur Jesuitendichtung siehe Max Wehrli, *Andreas Gryphius und die Dichtung der Jesuiten*, in: Stimmen der Zeit, Bd. 175, 1965, S. 25–39.

8. Johann Heinrich Boecler (1611–72). – Über Boecler orientiert Reinhard Kunkel, *Die Staatsraison in der Publizistik des 17. Jahrhunderts mit besonderer Berücksichtigung der deutschen Publizistik*, Phil. Diss. [Masch.] Kiel 1922. – Boeclers Hauptwerk *Institutiones politicae* Argent. 1674 und die gesammelten Werke *Opera omnis historic. politic. moral. liter. et critica* IV Tomi Argent. 1712, erschienen posthum.

tät des Volkes, aber ebenso entschieden auch gegen eine sich absolut setzende Staatsräson auftrat. In seinen *Programmata academica* von 1643 nennt Boecler die ›Ratio Status‹ eine Larve der Herrscher, Schauspielerin der Höfe, Verspottung der Tugend, Klippe der Gewissen, Geheimlehre der Ungerechtigkeit und Marter der Religion. Da im Gryphiusschen Drama Leben und Tod des Menschen vom Worte seiner eigenen Zunge (I, 509 ff.) wie von dem in der Christnacht einbrechenden ›verbum incarnatum‹ abhängen und die Zukunft im Kleide der Träume und Zeichen einbricht – wobei alle diese Formen eines Sinn- und Wortgeschehens in vorerst nicht leicht zu deutender, oftmals verdunkelter Weise erscheinen –, wird in diesem Drama auch das Problem der Textauslegung aktuell, das Verstehen des geistigen Sinnes der Schrift wie der Geschichte und damit eine Problematik, der das Schaffen eines weiteren Straßburger Freundes von Gryphius galt. Wir denken an den Theologen Johann Conradus Dannhawerus, den Verfasser der *Hermeneutica sacra*[9]. Das Stück des Jesuiten Joseph Simon, das Gryphius den Anstoß zur Beschäftigung mit dem Leo-Armenius-Stoff gab, bedarf nun aber kaum einer Hermeneutik. Zwar stimmen Gryphius' Drama und das des Jesuiten in manchem Detail überein, in der Einteilung der Szenen etwa, wie Harring nachgewiesen hat. Gryphius' Intentionen aber sind von denjenigen Simons völlig verschieden, was schon aus dem Argumentum des Jesuiten deutlich hervorgeht:

> Leo Armenus, Orientis Imperator Sacrarum Imaginum hostis acerrimus, cum diu multumque rem catholicam vexasset, tandem impietatis poenas persolvit. Nam Michael Balbus, Procerum Princeps, detecta conjuratione, ad flammas damnatus, ipsa nascentis Christi nocte, caeso per

9. Dieses sein Hauptwerk ist 1654 in Straßburg erschienen unter dem Titel *Hermeneutica sacra, sive methodus exponendarum Sacrarum Literarum.*

amicos Leone, vincula perfringit, et Imperator efficitur . . .«[10]

Simons Stück ist weit einfacher angelegt als das von Gryphius und bietet im Gegensatz zu diesem wohl kaum Verstehensschwierigkeiten. Leo erscheint als Verächter der katholischen Religion, als Schutzherr ketzerischer Bilderfeinde, Michael hingegen als Streiter des Himmels, der der gerechten Sache zum Siege verhilft und seinen Feind Leo der Höllenstrafe, welche Ketzern billig zukommt, überläßt. Hie gut, dort böse, das Gute siegt. Diese Eindeutigkeit ist bei Gryphius nicht vorhanden. Der historisch wichtige Bilderstreit spielt bei ihm überhaupt keine Rolle[11].

Die Differenzen sind um so eindrücklicher, als Simon wie Gryphius dieselben Quellen verwenden. Gryphius nennt die byzantinischen Historiker Georgios Kedrenos[12] und Johan-

10. Die Übersetzung des Argumentum zu *Leo Armenus* des Joseph Simon lautet:
»Leo der Armenier, oströmischer Kaiser, erbitterter Feind der heiligen Bilder, hat endlich die Strafen für seine Gottlosigkeit erlitten, nachdem er lange und heftig die katholische Sache verfolgt. Nach Entdeckung der Verschwörung wurde Michael Balbus zum Flammentod verurteilt. Aber nachdem Leo gerade in der Weihnachtsnacht durch Freunde (des Balbus) getötet worden war, zerbrach er seine Fesseln und wurde Kaiser. Und er ächtete die ganze Familie Leos.« – Simon fügt am Schluß des Argumentum bei »Baronius tomo 9«. Dies bezieht sich auf die Kirchengeschichte des Caesar Baronius. Die in vielen Bibliotheken vorhandene Ausgabe *ANNALIUM ECCLESIASTICORUM CAES. BARONII*, ANTVERPIAE MDCI enthält die für uns wichtigen Ereignisse Tomus Nonus p. 584, 590, 592, 595–597, 600, 603/604, 608, 660, 668, 678. Baronius folgt dabei den Angaben von Cedrenus. Seine Darstellung unterscheidet sich allerdings durch apologetisch prokatholische Akzente von dem sachlicheren Text des Cedrenus.

11. Zur Geschichte des Bilderstreites siehe E. J. Martin, *A History of Iconoclastic Controversy*, London 1930, und Georg Ostrogorsky, *Studien zur Geschichte des byzantinischen Bilderstreits*, Breslau 1929.

12. Georgios Kedrenos (11. Jh.), auch Cedrenus geschrieben, griech. Mönch, Verfasser eines Geschichtswerks, das 1647 griech.-lat. unter dem Titel *Compendium historiarum* erschien. Den Leo Armenius betreffenden Ausschnitt findet man unter dem Titel »Georgii Cedreni Historiarum Compendium« in Mignes *Patrologia*, Ser. Graeca, Bd. 121 c. 925–954. Siehe dazu Werner Eggers, *Wirklichkeit und Wahrheit im Trauerspiel*

nes Zonaras[13]. Simon benutzt die *Annales ecclesiastici a Christo nato annum 1198*[14] des Caesar Baronius, dessen Darstellung der byzantinischen Geschichte aber auf dem Werk des Kedrenos beruht, von dem wiederum Zonaras abhängt.

Michael Balbus wird bei Simon »coeli minister« genannt. Bei Gryphius hingegen ist er von der Todsünde der ›superbia‹ gekennzeichnet, rein diesseitig, seiner Machtgier verfallen. Seine Verschworenen sind verbündet mit den höllischen Mächten der Nacht, die der Teufelspriester Jamblichus beschwört. Balbus selbst wünscht sich Spießgesellen, die »todt und ewigkeit mit füssen tretten« (I, 125 f.). So erscheint es kaum zweifelhaft, daß der »coeli minister« Simons bei Gryphius dem Fürsten der Welt dient, zur »larva Diaboli« geworden ist.

Gryphius' Spiel vertauscht nun allerdings nicht einfach die Rollen, so daß Leo anstelle von Michael der christliche Held des Stückes wäre. Auch Leo herrscht tyrannisch. Er hat seinen Vorgänger mit Gewalt entfernt und kann kaum als »minister coeli« bezeichnet werden. Der Aufschub der Hinrichtung Michaels erfolgt Theodosia, nicht deren christlichen Motiven zuliebe.

Leo wäre auf gut heidnisch oder besser auf menschlich-allzumenschliche Art geneigt, schadenfreudig zu bezeugen, »daß kein schawspiel sey so schön im rund der Erden: Alß wenn / was mit der glutt gespiel't / muß Aschen werden« (II, 423 f.).

Dennoch besteht ein grundlegender Unterschied zwischen den beiden. Michael erscheint als der ungebrochen vitale Machtmensch, der, die Weite und Breite des menschlichen Daseins

von Andreas Gryphius, S. 158 f., und die im Literaturverzeichnis ebenfalls angegebene Arbeit von Heisenberg.

13. Johannes Zonaras (um 1120) verfaßte eine Weltgeschichte bis zum Jahre 1118. Er schrieb diese als Mönch auf der Prinzeninsel Hagia Glykeria (heute Niandro). Text in: CSHB 1841–1897 (= *Corpus scriptorum historiae byzantiniae* . . .), Bonnae 1828–97, und Migne, *Patrologia*, *Ser. Graeca*, Bde 134. 135.

14. 12 Bände, Rom 1588–93.

auskostend, die Dimensionen der Höhe und Tiefe verfehlt. Er kennt der Herrschaft Lust, nicht deren Last. Erörterungen über das Problem der Schuld begegnet er gleichmütig, ja fast gleichgültig, wenn er zu den Richtern gewendet erklärt: »Wer lebt ohn alle feill! wer hat sich stets bedacht?« oder: »Wer lebt / der jrrt vnd fållt« (II, 173 ff.).
Leo hingegen ist keine so eindeutige Figur. Er lebt mit sich selbst im Zwiespalt. Weit entfernt davon, wie Michael das Spiel um Macht und Einfluß zu genießen, ist er der in sich versponnene Melancholiker, dem die Herrscherwürde zutiefst problematisch erscheint. Diesem Empfinden gibt er mit den Worten Ausdruck: »Was ist ein Printz doch mehr alß ein gekrönter Knecht« (I, 153). Leo macht sich die melancholische Geschichtsvision seiner Höflinge zu eigen; die Geschichte erscheint ihm als ein Ruinenfeld, der Mensch als ein Gefangener der in sich kreisenden Zeitlichkeit, die Prinzen wahllos steigen und fallen läßt. Leo erkennt sich als Schuldigen, tief verstrickt, »incurvatus in se«, wie wir ihn nach der Erscheinung von Tarasii Geist und dem Gespenste Michaelis finden. Zwiespältig ist seine Haltung auch gegenüber Michael, über dessen Tod er sich freuen würde und den er nach dem Todesurteil der Richter doch beklagt mit den Worten:

»... der vns das Leben giebet
Der durch die Hertzen sieht / weiß wie wir jhn geliebet ...
Wie offt wir seiner schuld auß trewer gunst verschon't.«
(II, 315 ff.)

Diese Zeilen weisen ebenfalls hin auf die Konflikte, denen er sich ausgesetzt sieht, wenn er zugleich den Ansprüchen Gottes und den Erfordernissen der Staatsräson, die den Tod des Gegners fordert, genügen will. Im Gegensatz zu Michael und seiner Schar, die selbst Gott und Gottesdienst nur im Zusammenhang irdischer Zwecke sehen, ruft Leo Gott als Zeugen seines Versuches an, dem Himmel und der Erde zugleich gerecht zu werden, freilich ohne daß dies letztlich

gelänge, ohne daß sein Handeln durchaus auf Gott begründet wäre – wie hätte er sonst Tarasii Geist zu fürchten! Ganz im Gegensatz zu seinem historischen Vorbild Leo V., dem 850 in der Hagia Sophia ermordeten byzantinischen Kaiser, ist der Leo des Gryphius ein unentschlossener Zauderer. Es ist dies um so bedeutsamer, als Gryphius sich sonst eng an seine historischen Gewährsmänner hält. Diese Zwiespältigkeit Leos entspricht zwar nicht dem historischen Charakter, wohl aber den allegorischen Bedeutungsvarianten seines Namens, die ebenso auf den Löwen Judas, Christus[15], wie auf den Herrn der Finsternis, den Teufel, der wie ein brüllender Löwe umhergeht und sieht, wen er verschlinge[16], hinweisen können. Leo Armenius ist weder ein Märtyrer, wie Catharina von Georgien, noch ein in reiner Diesseitigkeit verstockter Bösewicht und Tyrann wie deren Gegenspieler Chach Abas, sondern er vertritt die Position des im Konflikt sich gegenseitig ausschließender Mächte entzweiten Menschen, des Repräsentanten der Gryphiusschen Perspektive des Menschenlebens als des »Menschlichen Elendes«[17].
Theodosia, die Leo zum Aufschub der Hinrichtung bewegt, scheint demgegenüber eindeutig auf christlicher Seite zu stehen. Ihr Ausspruch: »Wie herrlich stehts, wenn man guts thut vnd boͤses leidet!« (II, 467) scheint auf die Position der christlichen Märtyrerin zu deuten und könnte Catharina von Georgiens Mund entstammen. Doch Theodosias Frömmigkeit erweist sich als reine Werkgerechtigkeit, da ihr Glaube, nachdem sie Gutes tat und dafür nicht schon diesseitig belohnt wurde, zerbricht. Theodosia ist damit Repräsentantin einer ›theologia gloriae‹, der Luther so entschieden seine ›theologia crucis‹[18] gegenübergestellt hatte. Die ›theologia crucis‹ bereitet allerdings dem menschlichen Verstehen Schwierigkeiten, denn das Heil erscheint nicht direkt,

15. Siehe Offenbarung 5,5.
16. Siehe 1. Petrus 5,8.
17. Siehe *GA*, I, S. 9, Sonett »Menschliches Elende«.
18. Vgl. Walther von Löwenich, *Luthers theologia crucis*, München 1954.

sondern verhüllt ins Gegenteil, nur sichtbar ›sub contraria specie‹. Gott tritt in der Maske ›pessimi diaboli‹ auf und verspricht nicht ›gloria‹, sondern ›passiones et cruces‹ – ein Deus vere absconditus.

Theodosia verschließt sich dem Ratschluß eines Geschicks, das sie nicht mehr als ein von Gott verhängtes annehmen kann. Den Einwand des Priesters, der meint: »Kan wer / der sterblich ist wol sein gericht begreiffen?« (V, 211), der gerade in der Dunkelheit des Unerforschbaren ein Stigma des Göttlichen sieht, weist sie schroff zurück, ihre entschiedene Weigerung, diese ›paradoxia christiana‹ zu verstehen, damit noch bestärkend.

Dieses Drama ist nicht dramatisch im Sinne eines lückenlos motivierten Geschehenszusammenhanges. Es ist vielmehr ein Drama der Auslegung eines für den Menschen schwer, ja nicht verständlichen Geschehens. Sein Zusammenhang ist deshalb nicht mittels der Handlung, sondern durch ein dichtes Gefüge allegorischer Verweisungen gegeben, die das dunkle Ereignis deutend erhellen.

Selbst wenn der Tod Leos ›sub contraria specie‹ als Zeichen des ins Leid verkleideten Heils, des sich in der Weihnachtsnacht verhüllend enthüllenden Deus absconditus gesehen werden könnte, so bliebe doch die Frage offen, ob Theodosia, als ihr der tote Leo erscheint, verrückt geworden, weil ihre Möglichkeit menschlichen Verstehens zerstört, ihr Glaube zerbrochen, tragisch gescheitert ist, weil gerade das Rettende, die gute Tat, den Untergang bewirkte, oder ob ihre Vision der geretteten Seele des begnadigten Sünders Leo galt, der das Kreuz küssend sein Geschick angenommen und damit erst geistlich lebendig geworden, ob also Theodosia mit dieser Sicht nicht nur nicht verrückt, sondern gerade erst geistlich sehend geworden wäre und damit das Verstehen des göttlichen Gerichts, das sie vorerst von sich gewiesen, geleistet hätte.

Dieses Drama stellt so oft die Frage des Verstehens, daß es unter diesem Gesichtspunkt noch einmal betrachtet werden sollte. Der *Leo Armenius,* ein Gericht über die Welt der Sterblichkeit, weist wohl hin auf einen Sinn des Gerichts, doch nur verhüllt, andeutend, in Orakeln, Träumen und Geistererscheinungen und den Reyen, die das Geschehen präfigurieren, rückblickend deuten oder aber aus gänzlich anderer Perspektive im radikalen Gegenwurf zu allem Vorangegangenen, wie der Reyen der Priester und Jungfrauen am Schluß der vierten Abhandlung, einen Ansatz zu neuem Verständnis leisten. Das nur an- und nicht ausdeutende allegorische Verfahren wie die dialektische Kontraposition aktivieren den Verstehensprozeß des Lesers oder Zuschauers, der, anders als vor einem eindeutigen Geschehenszusammenhang klassischer oder naturalistischer Prägung nicht durch Einfühlung oder unmittelbar logisches Auffassen eines einfachen Schriftsinns sich den Text aneignet, sondern ihn zu verstehen versucht durch Reflexion der Bedeutungsvarianten eines dunklen Stils, durch die Auseinandersetzung mit der Ambiguität der Orakel, Träume und Geistererscheinungen, wodurch er einbezogen wird in den Auslegungsprozeß, den das Drama selbst vollzieht.

In der ersten Abhandlung prophezeit der zweite Verschworene in dunkler Anspielung auf die Möglichkeit, daß der Mensch »was kůnfftig / rathen / kan ... vnd was verborgen schawn« (I, 74.78), Leo, der »zwinge-landt«, der Tyrann, würde »dem Schwerdt zur beutte fallen« (I, 78 f.). Er begründet dies durch die Auslegung »hoher Sinnen Schrifft« (I, 85). Es handelt sich um eine illustrierte Ausgabe der *Oracula sibyllina* jüdisch-christlicher Prägung, um jene Sibylle also, die, wie Origines, Eusebius, Lactantius und Philo Alexandrinus meinten, griechisch rede und doch dasselbe sage wie die Heilige Schrift. Das Buch zeigt einen Löwen mit einem purpurroten Kreuz, »wodurch ein Jåger stecket Mit mehr denn schneller Hand ein scharff geschliffen schwert« (I, 116 f.). Der Verschworene deutet dies mit den Worten:

»Jhr kent das rawe thier: das Creutz ist Christus zeichen;
Ehr sein geburtstag hin / wird dieser Lůw erbleichen.«
(I, 119 f.)

Aus der Sicht der Verschwörer kann das Orakel als Gottes Gericht über Leo gedeutet werden. Mit gleicher Berechtigung könnte es aber als Beleg zwar nicht einer vom Menschen gewollten ›Imitatio Christi‹, wohl aber einer von Gott gewährten ›Conformitas Christi‹, wie Luther gesagt hätte, betrachtet werden. Die Königsfarbe des Löwen-Kreuzes wiese dann nicht nur auf ein Urteil, sondern zugleich auf die Erlösung hin. Das Löwensymbol läßt offen, ob es gedeutet werden solle als ›symbolum tyranni‹ oder ›peccatori obstinati‹, oder aber als ›symbolum Christi mortui‹ et ›mortis dulcis‹. Sicher ist vorerst nur eines, um noch eine letzte Deutung des Löwensymbols aus dem *Mundus symbolicus* des Picinellus[19] zu nennen, daß dies ein ›symbolum Christi judicis‹ ist. Im Verlaufe des Dramas aber bekommen alle Varianten einen Sinn, deren innerer Zusammenhang retrospektiv deutlich wird. Die Verschwörer suchen noch ein zweites Mal Rat durch Orakelspruch, obgleich sie sich, wie der erste Eingang der vierten Abhandlung zeigt, bewußt sind, sich damit dem Hermeneuten des Teufels, dem Höllenpriester Jamblichus zu verschreiben: ». . . wer solchen rath begehrt Laufft in sein eigen grab« (IV, 5 f.), meint der zweite der Zusammengeschworenen, die den gefangenen Michael Balbus retten wollen. Er erkennt auch eine gewisse Problematik solchen Orakels, wenn er sagt:

»Du wirst hier leider nichts! alß solche wort erlangen:
Die den / die jenen sinn / nach jedes Kopff empfangen.«
(IV, 11 f.)

19. Dies sind nur einige der zahlreichen Löwensymbole, die der *Mundus symbolicus Idiomate Italico conscriptus a Philippo Picinello . . . in latinum traductus a Augustino Erath Coloniae Agrippinae M.D.C.L XXXI* verzeichnet. Einen Überblick über die Bedeutungsvielfalt dieses Symbols gibt der *Index Notabilium*, der dem zweiten Band unter dem Stichwort ›Leo‹ beigegeben ist.

Doch diese Einwände werden mit dem dummdreisten Interpretationsprinzip abgetan: »Man deut' es wie man wil! wol! wenn es nur vor mich!« (IV, 13)
Das Orakel des Geistes meint dann in der Tat zweideutig:

»Dir wird was Leo trågt:« (IV, 150)

Der Doppelsinn, den Jamblichus erkennt, aber den Verschwörern verheimlicht, zeigt denn auch tatsächlich nicht nur die Erhöhung der Michael Macht und Freiheit erwerbenden Spießgesellen, sondern weist zugleich auf deren Fall. Sie werden, worauf Gryphius in den Anmerkungen verweist, durch Theophilus, Michaels Sohn, wegen des Kaisermordes hingerichtet.
Wie an diesen Beispielen deutlich wird, enthalten die von den diesseitig verstockten Verschwörern einseitig gedeuteten Orakel einen Sinnüberschuß, der zum Teil Jamblichus, in umfassenderem Sinne nur dem geneigten Leser, den genannten Verschworenen aber überhaupt nicht aufgeht. Sie entnehmen den Zeichen nur die vordergründig konkreten Bedeutungen, die Anstöße zur Tat, die Idee, die Kirche als Mordplatz zu verwenden, der allegorische Sinn aber bleibt ihnen dunkel.
Auch Leo durchschaut die ihm zugedachten Zeichen nicht. Er begreift jedoch deren Problematik und erlangt Ahnungen ihrer Bedeutung. Der ihn verstörende Gegensatz zwischen dem beruhigenden Chor inmitten der dritten Abhandlung: »Die stille lust der angenehmen Nacht . . .« (III, 33) und den darauf folgenden Schreckbildern führt ihn zu der Frage:

»Kůrtzt Er der Fůrsten jahr?
Oder lehrt er nur durch zeichen
Wie man soll der grufft entweichen?« (III, 145–147)

Doch daraufhin beruhigt er sich mit dem Schluß, diese Zeichen wären doch wohl nur eine Warnung. Leo unterscheidet sich von seinen Gegenspielern durch ein tieferes Bewußtsein und durch den Verzicht auf Zauberkünste, doch bleiben ihm die Zeichen vorerst so verschlossen wie dem Leser, der auf das beschränkte Verstehen reduziert wird, das der Zusatz des die dritte Abhandlung schließenden Reyens ausdrückt. Auch der Leser kann trotz der Zeichen »gleich wol nicht ergrůnden«, was er vor sich findet, denn der Schlußsatz:

> »Auch viel / in dem sie sich den Tod bemůht zu fliehen
> Siht man dem tod' entgegen ziehen.« (III, 409 f.)

kann in jenem Zeitpunkt für Leo wie für Michael gelten.
Eine Erhellung des dunklen Geschehens erfolgt erst im Rückblick nach der Lektüre des Reyens der Priester und Jungfrauen (IV, 361 ff.), der kurz vor der scheinbar tiefsten Verfinsterung jeden Sinnes in extremstem Gegensatz zu dem Vorangehenden, der Verkleidung der Priester-Mörder, wie zum Kommenden, Theodosias Ahnung der grauenvollen Nacht, steht, so, daß der verwirrte Leser erst recht nicht weiß, wie ›Gottes gerichte zu begreiffen‹, ja ob hier überhaupt noch ein christliches Heil einbreche oder nur dessen teuflische Parodie die Sinnen der Menschen verwirre in einer Nacht, da die Kerzen der Priester »ausgehôlt«, ihr Glanz vom Gleißen des Mordstahls überblendet wird.
Dies mag in der Tat dem Gedanken an einen ›lieben Gott‹ abträglich sein. Doch kannte Gryphius ja als getreuer Anhänger der Augsburgischen Konfession auch einen zornigen, sich in sein Widerspiel verkehrenden, verborgenen Gott[20]. Gerade dieser Reyen und das Geschehen der Weihnachtsnacht zeigen den sich verhüllend enthüllenden ›Deus absconditus‹, den zuvor das »dunckel hat verborgen«, den Gott, der die Menschen »Verbann't in schwartze nacht durch . . . ernstes fluchen«. Dieser Gott kommt nicht zu den Gerechten, sondern zu denen, die »deß Hôchsten bild verlohren«, zu denen, die »mehr Viehisch alß ein Vieh«. Er verwandelt sich aus dem Rächergott des Alten Testaments

20. Vgl. dazu Fritz Blanke, *Der verborgene Gott*, Kassel 1928.

zum gnädigen Erlöser des Neuen[21]. Der Weihnachtsmord wäre dann das ›sub contraria specie‹ verkleidete Heil, Leo Armenius im Moment, wo er das Kreuz küßt – eine Gebärde des Verstehens und Annehmens von Gottes Gericht und Gnade – und sein Blut sich mit dem Meßwein vermischt »simul justus et peccator«. Dem Zweifelnden wären Luthers Worte aus *De servo arbitrio* zuzurufen: »Der Glaube hat es mit Dingen zu tun, die man nicht sieht. Damit also Raum da sei für den Glauben, muß alles, was geglaubt wird, verborgen werden; es wird aber nicht tiefer verborgen als unter gegensätzlichem Anblick, Empfinden, Erfahren. So, wenn Gott lebendig macht, tut er dies dadurch, daß er tötet; wenn er rechtfertigt, tut er dies dadurch, daß er schuldig macht; wenn er zum Himmel emporhebt, tut er es dadurch, daß er zur Hölle führt ... So verbirgt er seine ewige Güte und Barmherzigkeit unter ewigem Zorn, seine Gerechtigkeit unter Ungerechtigkeit« (*WA* 18; 633, 7–15; 1525).
Gerhard Kaiser hat in seiner Armenius-Interpretation nachdrücklich auf Luthers Bedeutung für das Verständnis Gryphius' hingewiesen, nachdem dies eine Zeitlang von unhistorisch verfahrenden Forschern vergessen worden war. Allein wenn Kaiser meint, die Vermischung des Blutes des auf dem Kreuz ausgestreckten Leo mit dem Meßwein sei dasselbe Geschehen, das auch die zweite Strophe von Paul Gerhardts Weihnachtslied: »Fröhlich soll mein Herze springen« darstelle, melden sich doch Zweifel:

Heute geht aus seiner Kammer
Gottes Held,
Der die Welt
Reißt aus allem Jammer.
Gott wird Mensch, dir Mensch zugute;
Gottes Kind,
Das verbind't
Sich mit unserm Blute.

21. Vgl. *GA*, II, Oden 3. Buch, S. 67 ff.

Diese Strophe zeigt doch wohl nicht nur die Analogie, sondern auch Gryphius' Differenz zu Luther und Gerhardt deutlich. Gerhardts Lied ist gedichtet aus der Perspektive des gläubigen, schon hier und jetzt erlösten fröhlichen Christenmenschen. Gryphius' Drama betrachtet den Vorgang aus der Sicht der Blinden, Nicht-Verstehenden. Durch das Gespräch des Boten mit Theodosia erfahren wir das Geschehen, das beide nicht fassen. Bei Gryphius ist die Enthüllung des Heils in der Gegenwart verdüstert, an die Schwelle des Jenseits gedrängt. Die Simultaneität Luthers, bei Gryphius ohnehin nur im Abschied von der Welt spürbar, droht zu zerfallen. Von Leo könnte man mit des Dichters Worten sagen: »Und ob er hier gleich fållt, wirdt er doch dort bestehen« – nicht ›simul justus et peccator‹, sondern ›hic peccator – ibi justus‹.

Noch bleibt die Frage offen, von der wir ausgegangen sind. Die Frage nämlich, ob Theodosia verrückt geworden, was alle Interpreten mit sonst in keiner Frage erreichter Einmütigkeit feststellen, ob sie christliche Einsicht nur parodiere oder ob sie vielleicht doch im letzten Augenblick die christliche Paradoxie des Kreuzes begriffen hätte und ihr Wahnsinn damit ein göttlicher wäre – Theodosia als Sibylle? Dies bleibt weiterhin ein ungelöstes Problem, das aber doch wohl durch unsere Überlegungen einen tieferen Sinn gewonnen hat. Eine eindeutige Antwort wäre eine Zumutung an den Verstand des Lesers, der um sein eigenes Engagement betrogen würde. So aber bedeutet diese Offenheit einen Appell an das Wagnis seines eigenen Glaubens, eine Aufforderung zur Vollendung des Kunstwerkes, die durch den Leser selbst erst geleistet werden muß, womit wir wiederum auf die grundlegende Qualität des den Zuschauer in seine Verstehensproblematik einbeziehenden Stückes verwiesen wären.

Skeptische Leser mögen freilich fragen, ob hier nicht aus barocker Not, aus den Unstimmigkeiten eines dramatischen Erstlings, eine moderne Tugend gemacht werde. Der *Leo*

Armenius dürfte ja wohl das einem modernen Bewußtsein am ehesten entsprechende Stück des Gryphius sein, wegen der Fragwürdigkeit der in ihm entfalteten Conditio Humana, wie auch wegen der Offenheit seines Bedeutungshorizontes.

Vom einen wie vom anderen sind auch die Erscheinungsformen des christlichen Glaubens mit betroffen. Darüber darf nun allerdings nicht vergessen werden, daß der Dichter sich wünscht – was aus dem Widmungsgedicht an Schlegel hervorgeht –, den Geist des Lesers wie den Geist des Gryphius solle letzten Endes keine Finsternis stören, das Licht möge siegen und der Frevel der Mordszene beklagt werden. Dies spricht nun dafür, die Möglichkeit, daß Theodosia eine christliche Sibylle wäre, positiv zu betrachten, der Deutung des Todes Leonis als Ausdruck christlicher Paradoxie den Vorzug zu geben gegenüber einer anderen, die ihn als tragischen Untergang betrachtet. Ebenso läge es kaum im Sinne von Gryphius, den ›Sieg‹ des Michael Balbus, der ja wohl geistlich gesehen als Pyrrhussieg bezeichnet werden muß, als Beleg dafür zu betrachten, daß Gryphius den Fürstenmord naturrechtlich billige. Dies widerspräche ja sowohl seiner Zuneigung zu Salmasius als auch seinen eigenen, im *Carolus Stuardus* bekräftigten Grundsätzen eines theokratischen Absolutismus und seiner Verurteilung des Fürstenmords als »ungehewres Mord und Bubenstůck«.

Daß Gryphius' Intentionen im *Leo Armenius* viel weniger deutlich ausgeprägt sind als etwa in seinem zweiten Spiel, dem Märtyrerdrama *Catharina von Georgien*, daß er in seinem Erstling den eigenen Positionen des Glaubens und Denkens nicht weniger scharf profilierte Gegenpositionen zugesellt, hat manchen Interpreten verwirrt. Dies muß nun aber keineswegs als verwirrende Unklarheit der dichterischen Intention verstanden werden. Man könnte es vielmehr differenzierter als Ausdruck einer tieferen Sicht der Dinge begreifen, als Ausdruck der Perspektive des Angefochtenen, der Sein und Schein zu trennen weiß, der auch das staatliche und religiöse Leben im Zwielicht alles Menschlichen sieht, korrumpiert, verfremdet auch das Ewige durch das Endlich-Vergängliche seiner Erscheinungsformen im Zeitalter des Dreißigjährigen Krieges. Dennoch bleibt, und dies unterscheidet Gryphius doch grundsätzlich von der modernen Sicht, der transzendente Fluchtpunkt der Ewigkeit, das Licht vom unerschaffnen Lichte, wenn auch zeitweise überschattet, bestehen.

Über den *Leo Armenius* sind die widersprüchlichsten Interpretationen geschrieben worden, deren Gegensätze sich einerseits aus der Differenz der philosophischen Standorte ihrer Autoren, andrerseits – und das allein interessiert uns in diesem Zusammenhang – aus der Pluralität der von Gryphius entfalteten Perspektiven erklären lassen. – Dasselbe Stück ist nach Erik Lunding das »reinste Schicksalsdrama der deutschen Literatur«[22]; »wo das Schicksal herrscht«, meint er, »hat Gott sein Reich verloren« – nach Gerhard Kaiser ein Weihnachtsdrama, das »lutherische Drama des bekehrten Sünders«[23]. Nach Walter Mawick[24] wäre nicht Leo, sondern Michael Balbus der Held des Stückes. Leo schwanke zwischen christlicher Humanität und Staatsräson und handle damit »vollkommen seinsverkehrt«, während Michael positiv als Vertreter einer »aktivistisch heroischen Lebenshaltung« erscheine, als Held einer »liberalistischen Revolution«. – Im Gegensatz zu Mawick sieht Peter Szondi Leo, nicht Michael

22. Erik Lunding, *Das schlesische Kunstdrama*, Kobenhavn 1940, S. 78. Als Schicksalsdrama interpretierten den *Leo Armenius* auch Gerhard Fricke, *Die Bildlichkeit des Andreas Gryphius*, Berlin 1933, S. 111 ff., sowie Safinaz Duruman, *Zum Leo Armenius des Andreas Gryphius*, in: Studien zur deutschen Sprache und Literatur 2, Istanbul 1955, S. 103–122.
23. Gerhard Kaiser, *Leo Armenius – das Weihnachtsdrama des Andreas Gryphius*, in: Poetica, Zeitschrift für Sprach- und Literaturwissenschaft, 1. Bd., 1967, S. 333–359. Jetzt auch in: *Die Dramen des Andreas Gryphius. Eine Sammlung von Einzelinterpretationen.* Herausgegeben von Gerhard Kaiser, Stuttgart 1968, S. 3–34 (Durchgesehene und erweiterte Fassung unter dem Titel *Leo Armenius oder Fürsten-Mord*).
24. Walter Mawick, *Der anthropologische und soziologische Gehalt in Gryphius' Staatstragödie Leo Armenius*, Phil. Diss. Münster 1935.

als Hauptperson an, er erkennt aber in Leos Tod am Kreuz im Unterschied zu Kaiser nicht das Heil, sondern »einen Untergang, den das Kreuz Christi, an dem er sich vollzieht, nicht verklärt, sondern in seiner Kontrapunktik verschärft«[25]. Der *Leo Armenius* ist nach Szondi kein Weihnachtsspiel, sondern eine christliche Tragödie, da gerade das »Heilbringende«, der Aufschub der Hinrichtung, die Rücksicht Leos auf das Weihnachtsfest, seinen Untergang bewirkt.

Gryphius selbst hat seinen Leo in einem Gedicht an seinen Straßburger Verleger Caspar Dietzel charakterisiert als den Fürsten, »der sterbend lehrt / wie bald das schnelle Radt dess Glůcks werd umgekehrt«[26]. Wer daraus auf ein reines Schicksalsdrama schließt, verkennt, daß hinter Gryphius' Fortuna die christliche Vorsehung steht[27]. Wer hingegen des Leo Armenius Fall als Tragödie beklagt, übersieht die Möglichkeit, daß auch für ihn »sub contraria specie« gelten kann, was Papinian von sich sagt:

»Wer meinen Fall beweint
Siht nicht wie hoch Ich sey durch disen Fall gestigen.«[28]

Dies ist Gerhard Kaiser wohl bewußt, auch wenn er gegenüber Szondis tragisch-dunkler Darstellung das Weihnachtlich-Helle allzusehr betont. Inwiefern im übrigen alle genannten Ansätze für einzelne Schichten des *Leo Armenius* zutreffen, verallgemeinert aber einseitig oder gar falsch sind, braucht nach dem Gesagten nicht mehr näher ausgeführt zu werden. Als ›punctum hermeneuticum‹, das schließlich einen übergreifenden Sinn der scheinbar widersprüchlichen Schichten eröffnete, erwies sich eine Gryphiussche Modifikation der lutherischen ›theologia crucis‹, die erlaubt, den Fall als Höh', die dunkle Tragik als helle Gnade,

25. Peter Szondi, *Versuch über das Tragische*, Frankfurt 1961, S. 80–84.
26. *GA*, I, Sonette 2, S. 89, Zeilen 5 f.
27. Siehe dazu Hans Jürgen Schings, *Die patristische und stoische Tradition bei Gryphius*, Köln 1966, S. 185–213.
28. *GA*, IV, Trauerspiele 1, S. 238, Zeilen 34 und 35.

vielleicht sogar menschlichen »Wahnsinn« als himmlische Vision und damit schließlich doch das »göttliche gerichte« in seiner Unbegreiflichkeit zu begreifen.
Eine Besinnung auf die Funktion des Kreuzes und auf weitere Stellen, die Abweichungen von den Quellentexten aufweisen, zeigt, wie sehr trotz aller Betonung der historischen Wirklichkeit diese eben doch ausgewählt, ausgerichtet und in wenigen, aber entscheidenden Punkten verändert wurde zugunsten einer transzendenten Wahrheit.
Die einzige Abweichung von den Quellen, die Gryphius in der Vorrede selbst verzeichnet, betrifft das Kreuz. Es ist in Gryphius' Stück im Gegensatz zu den Quellen dasselbe, an dem Christus gestorben. An diesem Kreuz erfolgt der Wechsel der Perspektiven, die Wandlung des Kaisers vom Tyrannen und »peccator obstinatus« zum Begnadigten, dem schließlich durch »Christi judicium«, durch bittern Tod ein »mors dulcis« gewährt wird, was er nicht mehr aussprechen, aber durch die Gebärde des Kreuzkusses beglaubigen kann. Die exemplarische Bedeutung, die Leo und sein Tod für die Gryphiussche Conditio Humana gewinnen, ist nur durch den gebrochenen, allegorische Bedeutungsvielfalt spiegelnden Charakter des Gryphiusschen Leo zu realisieren und hätte durch historisch treue Imitatio nicht verwirklicht werden können. Der historisch wichtige Bilderstreit entfällt, weil er heilsgeschichtlich allegorisch, jedenfalls im Sinne des Dichters bedeutungslos ist. Die dichterische Wirklichkeit wird angesiedelt im Spannungsfeld einer diesseitigen Realität der Historia, die sinnlich wirklich, aber nicht in einem tieferen Sinne jenseitig wahr ist, und einer transzendenten Wahrheit, die ewigen Sinn verbürgt, aber aus der Sicht des sterblichen, der Sinnlichkeit verhafteten Menschen nicht wirklich ist.
Nur im Geschehen des Kreuzes verbinden sich die Gegensätze. In diesem Zeichen versteht sich auch die Gryphiussche Dichtung als Vermittlung dieser verschiedenen Ebenen der Wirklichkeit. Die Wahrheit dieser Dichtung verbürgt sich

nicht durch die bloße Imitatio des historisch Faktischen, das nicht heilswirksam ist, noch durch eine eindeutig formulierte religiöse Moral, die unglaubwürdig wäre, sondern durch ein Gefüge allegorischer Verweisungen, das zwischen diesseitig sinnlicher Realität und jenseitig geistlicher Wahrheit vermittelt.

Gryphius bringt in seiner Einleitung die Verwandlung des Vaterlandes in einen »Schawplatz der Eitelkeit« mit der Funktion seiner Dichtung, die »vergånglichkeit menschlicher sachen« vorzustellen, in engsten Zusammenhang. Der Krieg hatte dieselben Perspektiven der Wahrheit eröffnet, die auch Gryphius' Schauplatz zeigt. Der schöne Schein der Welt ist entlarvt als Eitelkeit, die Sicht nach der Zerstörung des falschen Glückes frei für den Ausblick in die Ewigkeit. Das Vanitas-Thema ist nun allerdings nicht ein Thema reformierter, sondern eher spätmittelalterlicher oder gar gegenreformatorisch-jesuitischer Tradition. Jesuitischer Poetik entspricht auch das Verhältnis zwischen dichterischer Wahrheit und Wirklichkeit, das wir skizzierten. Es prägt zum Beispiel die Dramen von Jacob Bidermann und wurde später wohl am prägnantesten formuliert in der *Palaestra Eloquentiae Ligatae* des Jacobus Masenius[29]. Masen unterscheidet historische Wahrheit und Heilswahrheit, die »veritas occulta« oder »mystica veritas«. Die Dichtung darf sich nicht in bloßer Nachahmung, im »imitamentum« erschöpfen, muß aber, um nicht unglaubwürdig zu erscheinen, der Wirklichkeit gleichen, Masens Begriff einer »verisimilitudo historica« entsprechen. Sie soll jedoch darüber hinaus zeichenhaft verweisen auf die »veritas occulta«, die jenseitige Wahrheit, und damit seinem Prinzip der »verisignificatio« gerecht

29. *Pars I–III Coloniae Agrippinae*, 1. Aufl. 1657; 2. Aufl. 1661; 3. Aufl. 1683. Zur Dramaturgie der Jesuiten siehe Alfred Happ, *Die Dramaturgie der Jesuiten*, Diss. München 1923, und Werner Eggers, *Das Imitatio-Problem in den Poetiken der Jesuiten Donat und Masen* (= Exkurs II, in: Wirklichkeit und Wahrheit in den Trauerspielen von Andreas Gryphius, a. a. O., S. 160 f.).

werden. Vehikel dieser Verweisung sind Embleme, Metaphern und Allegorien, wie er sie selbst etwa gesammelt und dargestellt hat in seinem berühmten *Speculum imaginum veritatis occultae*. Coloniae Ubiorum 1681.

Gryphius' Dramen erweisen sich als Dichtungen, die, wie Masen es für die Jesuitendramen ausdrückte, »cum historiae similitudine mysticae veritatem conjungant«. So sehr der Sinn der in Gryphius' Drama inkarnierten ›theologia crucis‹ der jesuitischen ›theologia gloriae‹ widerspricht – wer wollte im *Leo Armenius* von einer ›ecclesia triumphans‹ sprechen –, so sehr entspricht andrerseits die jesuitische Version dichterischer Imitatio der Form von Gryphius' Dramen, auch dem *Leo Armenius*, dessen veritas zwar in besonderer Weise eine ›veritas occulta‹ ist, aber letzten Endes eben doch wohl – wie sein Dichter – in dunkler Mitternacht, doch nicht der Nacht geboren.

INHALT

Dichtungstheorie der Aufklärung und Klassik

IN RECLAMS UNIVERSAL-BIBLIOTHEK

Bodmer, Johann Jakob / Breitinger, Johann Jakob, *Schriften zur Literatur.* Hrsg. v. Volker Meid. 9953

Empfindsamkeit. Theoretische und kritische Texte. Hrsg. v. Wolfgang Doktor u. Gerhard Sauder. 9835

Friedrich II., König von Preußen, und die deutsche Literatur des 18. Jahrhunderts. Texte und Dokumente. Hrsg. v. Horst Steinmetz. 2211

Gellert, Christian Fürchtegott, *Die zärtlichen Schwestern.* Lustspiel. Im Anhang: Chassirons und Gellerts Abhandlungen über das rührende Lustspiel. Hrsg. v. Horst Steinmetz. 8973

Gerstenberg, Heinrich Wilhelm von, *Ugolino.* Tragödie. Mit einem Anhang und einer Auswahl aus den theoretischen und kritischen Schriften. Hrsg. v. Christoph Siegrist. 141

Gottsched, Johann Christoph, *Schriften zur Literatur.* Hrsg. v. Horst Steinmetz. 9361 – *Sterbender Cato.* Im Anhang: Auszüge aus der zeitgenössischen Diskussion über Gottscheds Drama. Hrsg. v. Horst Steinmetz. 2097

Hamann, Johann Georg, *Sokratische Denkwürdigkeiten. Aesthetica in nuce.* Mit einem Kommentar hrsg. v. Sven-Aage Jørgensen. 926

Herder, Johann Gottfried, *Abhandlung über den Ursprung der Sprache.* Hrsg. v. Hans Dietrich Irmscher. 8729 – *Journal meiner Reise im Jahr 1769.* Hist. krit. Ausgabe. Hrsg. v. Katharina Mommsen unter Mitarbeit v. Momme Mommsen u. Georg Wackerl. 9793 – *Von deutscher Art und Kunst.* Einige fliegende Blätter. Von Johann Gottfried Herder, Johann Wolfgang Goethe und Justus Möser. Hrsg. v. Hans Dietrich Irmscher. 7497

Lessing, Gotthold Ephraim, *Briefe, die neueste Literatur betreffend.* Hrsg. u. komm. v. Wolfgang Bender. 9339 – *Fabeln.* Abhandlungen über die Fabel. Mit einem Nachwort u. Erläuterungen v. Heinz Rölleke. 27 – *Hamburgische Dramaturgie.* Hrsg. u.

komm. v. Klaus L. Berghahn. 7738 – *Kritik und Dramaturgie.* Auswahl u. Einleitung v. Karl Hans Bühner. 7793 – *Laokoon* oder über die Grenzen der Malerei und Poesie. Mit beiläufigen Erläuterungen verschiedener Punkte der alten Kunstgeschichte. Nachwort v. Ingrid Kreuzer. 271 – *Sämtliche Gedichte.* Hrsg. v. Gunter E. Grimm. 28

Schiller, Friedrich, *Kallias oder über die Schönheit.* Über Anmut und Würde. Hrsg. v. Klaus L. Berghahn. 9307 – *Über die ästhetische Erziehung des Menschen* in einer Reihe von Briefen. Nachwort v. Käthe Hamburger. 8994 – *Über naive und sentimentalische Dichtung.* Hrsg. v. Johannes Beer. 7756 – *Vom Pathetischen und Erhabenen.* Ausgewählte Schriften zur Dramentheorie. (Die Schaubühne als eine moralische Anstalt betrachtet. Über den Grund des Vergnügens an tragischen Gegenständen. Über die tragische Kunst. Über das Pathetische. Über das Erhabene. Über epische und dramatische Dichtung. Über den Gebrauch des Chors in der Tragödie. Tragödie und Komödie.) Hrsg. v. Klaus L. Berghahn. 2731

Schlegel, August Wilhelm, *Über Literatur, Kunst und Geist des Zeitalters.* Auswahl aus den kritischen Schriften (Allgemeine Übersicht des gegenwärtigen Zustandes der deutschen Literatur. Poesie. Goethes Römische Elegien. Goethes Hermann und Dorothea. Bürger. Entwurf zu einem kritischen Institute). Hrsg. v. Franz Finke. 8898

Schlegel, Friedrich, *Kritische und theoretische Schriften.* Auswahl u. Nachwort v. Andreas Huyssen. 9880

Schlegel, Johann Elias, *Canut.* Ein Trauerspiel. Im Anhang: Gedanken zur Aufnahme des dänischen Theaters. Hrsg. v. Horst Steinmetz. 8766 – *Vergleichung Shakespears und Andreas Gryphs* und andere dramentheoretische Schriften. Hrsg. v. Steven D. Martinson. 8242

Winckelmann, Johann Joachim, *Gedanken über die Nachahmung der griechischen Werke in der Malerei und Bildhauerkunst.* Hrsg. v. Ludwig Uhlig. 8338

Philipp Reclam jun. Stuttgart

Barockliteratur

IN RECLAMS UNIVERSAL-BIBLIOTHEK (AUSWAHL)

Abraham a Sancta Clara: *Wunderlicher Traum von einem großen Narrennest.* Hrsg. v. Alois Haas. 6399

Angelus Silesius: *Aus dem Cherubinischen Wandersmann und anderen geistlichen Dichtungen.* Auswahl Erich Haring. 7623 – *Cherubinischer Wandersmann.* Kritische Ausgabe. Hrsg. v. Louise Gnädinger. 8006 (auch geb.)

Jakob Bidermann: *Cenodoxus.* Deutsche Übersetzung v. Joachim Meichel (1635). Hrsg. v. Rolf Tarot. 8958

Simon Dach und der Königsberger Dichterkreis. Hrsg. v. Alfred Kelletat. 8281

Deutsche Dichter. Bd. 2: Reformation, Renaissance und Barock. Hrsg. v. Gunter E. Grimm und Frank Rainer Max. 8612

Gedichte des Barock. Hrsg. v. Ulrich Maché u. Volker Meid. 9975

Gedichte und Interpretationen. Bd. 1: Renaissance und Barock. Hrsg. v. Volker Meid. 7890

Hans Jacob Christoph von Grimmelshausen: *Der abenteuerliche Simplicissimus Teutsch.* Einleitung v. Volker Meid. 761 – *Lebensbeschreibung der Erzbetrügerin und Landstörzerin Courasche.* Hrsg. v. Klaus Haberkamm u. Günther Weydt. 7998 – *Der seltzame Springinsfeld.* Hrsg. v. Klaus Haberkamm. 9814

Andreas Gryphius: *Absurda Comica oder Herr Peter Squenz.* Schimpfspiel. Hrsg. v. Herbert Cysarz. 917. Kritische Ausgabe: Hrsg. v. Gerhard Dünnhaupt u. Karl-Heinz Habersetzer. 7982 – *Cardenio und Celinde Oder Unglücklich Verliebete.* Trauerspiel. Hrsg. v. Rolf Tarot. 8532 – *Carolus Stuardus.* Trauerspiel. Hrsg. v. Hans Wagener. 9366 – *Catharina von Georgien.* Trauerspiel. Hrsg. v. A. M. Maas. 9751 – *Gedichte.* Auswahl Adalbert Elschenbroich. 8799 – *Großmütiger Rechtsgelehrter oder Sterbender Aemilius Paulus Papinianus.* Trauerspiel. Text der Erstausgabe, besorgt v. Ilse-Marie Barth. Nachwort Werner Keller. 8935 – *Horribilicribrifax Teutsch.* Scherzspiel. Hrsg. v. Gerhard Dünnhaupt. 688 – *Leo Armenius.* Trauerspiel. Hrsg. v. Peter Rusterholz. 7960 – *Verliebtes Gespenst.* Gesangspiel. *Die geliebte Dornrose.* Scherzspiel. Hrsg. v. Eberhard Mannack. 6486

Johann Christian Günther: *Gedichte.* Auswahl u. Nachwort Manfred Windfuhr. 1295

Johann Christian Hallmann: *Mariamne.* Trauerspiel. Hrsg. v. Gerhard Spellerberg. 9437

Christian Hofmann von Hofmannswaldau: *Gedichte.* Auswahl u. Nachwort v. Manfred Windfuhr. 8889

Quirinus Kuhlmann: *Der Kühlpsalter.* 1.–15. und 73.–93. Psalm. Im Anhang: Photomechanischer Nachdruck des »Quinarius« (1680). Hrsg. v. Heinz Ludwig Arnold. 9422

Friedrich von Logau: *Sinngedichte.* Hrsg. v. Ernst-Peter Wieckenberg. 706

Daniel Casper von Lohenstein: *Cleopatra.* Trauerspiel. Text der Erstfassung von 1661, besorgt v. Ilse-Marie Barth. Nachwort Willi Flemming. 8950 – *Sophonisbe.* Trauerspiel. Hrsg. v. Rolf Tarot. 8394

Martin Opitz: *Buch von der Deutschen Poeterey* (1624). Hrsg. v. Cornelius Sommer. 8397 – *Gedichte.* Auswahl. Hrsg. v. Jan-Dirk Müller. 361 – *Schåfferey von der Nimfen Hercinie.* Hrsg. v. Peter Rusterholz. 8594

Poetik des Barock. Hrsg. v. Marian Szyrocki. 9854

Christian Reuter: *Schelmuffskys warhafftige curiöse und sehr gefährliche Reisebeschreibung zu Wasser und Lande.* Hrsg. v. Ilse-Marie Barth. 4343 – *Schlampampe.* Komödien. Hrsg. v. Rolf Tarot. 8712

Spee, Friedrich: *Trvtz-Nachtigal.* Hrsg. v. Theo G. M. van Oorschot. 2596

Kaspar Stieler: *Die geharnschte Venus.* Hrsg. v. Ferdinand van Ingen. 7932

Georg Rodolf Weckherlin: *Gedichte.* Ausgew. u. hrsg. v. Christian Wagenknecht. 9358

Christian Weise: *Masaniello.* Trauerspiel. Hrsg. v. Fritz Martini. 9327 – *Ein wunderliches Schau-Spiel vom Niederländischen Bauer.* Hrsg. v. Harald Burger. 8317

Philipp Reclam jun. Stuttgart